Pierre d

La politique
internationale

2e édition

ARMAND COLIN

Collection Cursus, série « Science politique »
dirigée par Guy Hermet

© Dalloz, Paris, 1998
ISBN : 2-200-01942-4

Dalloz, 31-35 rue Froidevaux - 75685 Paris Cedex 14

SOMMAIRE GÉNÉRAL

Avant-propos

La politique internationale détermine aujourd'hui le cours de l'histoire et façonne à des titres divers le destin de tous les peuples. C'est en effet dans les rapports entre États, plus largement dans les interactions entre sociétés nationales, que se joue en partie la vie des individus et des communautés politiques. L'histoire du XXᵉ siècle en témoigne : la guerre de 1914-1918, le krach boursier de 1929, la Seconde Guerre mondiale, puis les conflits de la guerre froide et de la décolonisation constituent autant d'événements qui ont marqué le plus souvent de manière tragique la politique contemporaine, en même temps qu'ils bouleversèrent l'ordre du temps et des sociétés.

Au début du siècle, le sociologue allemand Max Weber définissait la politique essentiellement par références à l'État, dans lequel il voyait l'unique détenteur de la violence légitime. Cette perspective a exercé une forte influence sur la science politique. Est-elle encore valable ? L'État garde souvent le monopole de la coercition intérieure, mais son autonomie politique dans la sphère économique et sociale en particulier tend aujourd'hui à se rétrécir, car il ne peut défendre ses intérêts sans développer des réseaux de coopération internationale. En fait, tous les États trouvent leur origine dans la politique internationale, puisque la guerre ou la diplomatie ont présidé à leur formation, déterminé leurs frontières, influencé l'évolution de leur régime. Aucun pays n'est en mesure de vivre en autarcie, et tous, à des titres divers, sont forcés d'assurer leur protection militaire ou de planifier le développement de leur économie en misant sur des alliances, sur des échanges commerciaux, sur des rapports monétaires et financiers avec le reste du monde. À l'âge des armes nucléaires, biologiques et chimiques, l'avenir de l'humanité dépend du maintien de la paix entre les grandes puissances. Dès lors, aucun État ne peut assumer seul la défense de sa sécurité et de son indépendance. Tous les pays sont imbriqués dans un réseau dense et complexe d'interactions qui conditionnent leur taux de chômage ou d'inflation, les prix de leurs matières premières, la nature des produits manufacturés qu'ils importent ou qu'ils exportent, les ressources qu'ils peuvent consacrer à leurs investissements, le montant et l'intérêt de leur dette. La politique internationale influence la répartition des richesses de la planète. Elle crée les mécanismes de coopération qui permettent la croissance économique, ou qui favorisent au contraire le sous-développement. En définitive, l'évolution des États et des sociétés n'est pas intelligible sans référence à la politique internationale.

C'est la raison pour laquelle la politique internationale tient une place essentielle dans l'horizon des sociétés modernes et que son étude s'est beaucoup développée dans les programmes académiques de la plupart des pays. Au cours des dernières décennies, d'innombrables institutions de recherche ou d'enseignement se sont créées pour analyser la nature et le sens des rapports politiques et stratégiques entre les États. Le volume des publications consacrées aux affaires internationales ne cesse de croître, et l'on ne compte plus les revues spécialisées sur cet objet. Les relations internationales sont ainsi devenues un domaine d'étude spécifique, autour duquel s'est constituée une communauté de chercheurs qui s'élargit continuellement.

Chapitre 1

L'étude des relations internationales

1. Les perspectives classiques

Les relations internationales constituent un objet complexe, dont la compréhension peut être éclairée par le concours des différentes disciplines formant les sciences sociales. L'éventail des démarches est large. Il recouvre notamment l'histoire, l'économie, l'anthropologie, la psychologie, la sociologie ou la science politique. Traditionnellement, l'histoire, l'économie et le droit international, avec leurs concepts et méthodes spécifiques, ont exercé une forte influence à cet égard. Les premiers programmes universitaires ont été constitués dans l'entre-deux-guerres par la juxtaposition de ces perspectives, sans qu'apparaisse un cadre conceptuel permettant de les intégrer dans une réflexion cohérente.

1.1. *La démarche historique*

L'histoire fut longtemps considérée comme la voie royale pour l'étude des relations internationales. Son apport reste incontestable. Confronté à l'analyse de n'importe quel phénomène politique, tout chercheur pose des questions mobilisant le savoir de l'historien. Quel est l'enchaînement d'événements créant telle ou telle configuration diplomatique ? Quelles furent les origines et raisons d'être des institutions, des normes, des pratiques influençant le comportement des gouvernements ? Quelles sont les traditions politiques marquant la politique étrangère des États ? De quel milieu socioculturel, de quel horizon idéologique viennent ceux qui en ont la responsabilité ? Ces questions et bien d'autres sont le lot commun de l'étude des relations internationales. Elles concernent l'histoire au premier chef. Pour déterminer des séquences causales entre des faits contemporains, pour expliquer la dynamique de certains processus politiques, il faut nécessairement reconstituer leur fondement historique.

Par vocation, l'historien adopte une démarche totalisante. En se fondant sur des sources, mais aussi en s'appropriant les concepts et méthodes des sciences sociales, il ne cesse d'interpréter le passé. Il donne sens et cohérence aux événements, en conférant à ces derniers leur portée de faits historiques. En histoire, comme dans les sciences sociales en général, les faits n'existent pas en soi. Ils ne sont pas rapportés tels qu'ils se sont déroulés, mais en fonction des cadres conceptuels qui leur donnent une signification. Ils sont construits, donc isolés de la myriade d'événements formant le temps qui passe, et situés dans la cohérence d'un récit chronologique. La recherche de cette cohérence débouche, explicitement ou non, sur la mise à jour d'une dynamique sociale permettant d'éclairer le présent, surtout lorsque l'objet de l'analyse historique est proche de l'actualité.

1.2. *Le poids de l'histoire*

Si le devenir des sociétés humaines se situe par définition dans une trajectoire historique, le sens de cette évolution est incertain. L'historien n'est pas un prophète. Par métier, il se détourne de l'actualité, car son objet d'étude est le passé ; il sait qu'il doit travailler sur des sources dont l'accès n'est pas immédiat. Il éprouve parfois la tentation d'esquisser une philosophie de l'histoire. Il s'emploie alors à mettre à jour des phénomènes récurrents, des cycles d'évolution politique, des mouvements de civilisation de grande amplitude. Les effets de ce genre historiographique sont plus ou moins pernicieux comme en témoignent les avatars tragiques de la philosophie allemande du XIXe siècle. Sur le mode mineur, dans le genre de l'historien anglais Arnold Toynbee par exemple, on rencontre d'innombrables essais émaillés d'aphorismes expliquant la naissance et la décadence des empires, les mouvements périodiques et nécessaires marquant l'expansion et le déclin des grandes puissances. L'historien anglais Paul Kennedy a renoué avec ce type d'interprétation dans son ouvrage intitulé *Naissance et déclin des grandes puissances* (1988). Les analogies tirées de l'expérience historique sont sujettes à caution, et les «leçons de l'histoire» ont souvent une fonction idéologique : elles sont généralement au service de projets politiques conservateurs, car elles font des circonstances passées l'horizon incontournable de l'avenir. Récemment, le domaine de la sociologie historique s'est beaucoup développé dans l'étude des relations internationales. Cette démarche consiste à reconstituer les fondements historiques de configurations sociopolitiques particulières, notamment la naissance des structures hégémoniques dominant la dynamique des relations internationales contemporaines.

Certes, l'histoire est contraignante. Elle façonne le devenir des sociétés. Les expériences du passé, les récits et les légendes qui les traduisent, passent de génération en génération ; elles sont inscrites par cette tradition dans les mentalités et forment ainsi les repères des systèmes d'identification collective. Les institutions politiques et sociales, les coutumes, les normes, les valeurs, tout ce qui constitue l'assise des sociétés politiques s'inscrivent dans des traditions spirituelles et philosophiques qui sont intelligibles à la lumière de l'histoire. Certes, les mouvements de rupture sont fréquents, mais les processus révolutionnaires, qui prétendent dénoncer l'ordre établi, se réclament toujours de traditions, d'allégories, de récits historiques passés, et s'efforcent par ce biais de fonder leur autorité. À ce titre, l'histoire est constitutive de l'ordre social. C'est la raison pour laquelle les tenants du pouvoir contrôlent son écriture qui est souvent source de polémiques et de conflits politiques. Tous les envahisseurs s'efforcent de légitimer leur conquête par un discours révisionniste sur l'histoire. Aujourd'hui même, le conflit entre Juifs et Arabes en Palestine s'exprime en visions différentes de l'histoire et des droits politiques qui en découlent. Les sionistes religieux fondent leur droit politique sur les prophètes bibliques. Leurs archéologues ne cessent de creuser à Jérusalem et dans la terre de Palestine pour retrouver les témoignages de cette histoire. Les Arabes de leur côté fondent leurs droits politiques sur des mythes spirituels, historiques et politiques non moins puissants, en affirmant des liens non moins réels avec ce pays.

1.3. *L'histoire diplomatique*

L'histoire des relations internationales est avant tout celle des rapports diplomatiques. Elle s'insère bien évidemment dans un contexte plus large. L'historien français Pierre Renouvin entrecoupait volontiers son étude des relations internationales de brèves analyses des «forces profondes», évoquant les mutations économiques et sociales, le mouvement des idées politiques, les changements démographiques, les mentalités collectives influençant la diplomatie. Cependant, malgré cet effort louable pour élargir son objet, l'histoire diplomatique est restée un genre historiographique particulier, principalement orienté vers l'analyse des discours et de la correspondance des chefs d'État et de leurs ministres des Affaires étrangères. Genre désuet? Pas entièrement. La politique du prince reste encore aujourd'hui un domaine réservé de l'activité gouvernementale, échappant en partie aux disputes démocratiques et aux choix partisans. La volonté des principaux dirigeants s'y exerce plus qu'ailleurs. La diplomatie a son langage, ses conventions, ses rites. Elle est généralement servie par des ministères formés d'un personnel ayant ses propres usages, fondés sur d'anciennes traditions.

Malheureusement, les adeptes de l'histoire diplomatique en France ont eu tendance à étendre leur emprise sur tout le domaine des relations internationales et cela, dans une perspective qui rejetait l'apport des sciences sociales. Ce genre historiographique a produit un récit «événementiel» dépourvu d'envergure analytique, d'où émerge parfois la tentation d'éclairer l'évolution du monde contemporain par le recours à des analogies historiques, par l'évocation peu systématique des «facteurs» à l'œuvre dans la politique internationale. La défense de cette tradition historique a eu souvent pour effet d'entraver l'étude des relations internationales dans les universités françaises, et d'empêcher même qu'elle ne débouche sur les champs d'investigations de nature plus sociologique.

1.4. *L'économie politique*

Les relations internationales sont également constituées par les rapports économiques entre les États et les sociétés, notamment par les échanges commerciaux et financiers. Cette dimension économique de la politique internationale n'a cessé de croître au cours de la période contemporaine. Il convient donc d'étudier la nature des régimes économiques dominants, des organisations qui les servent, des doctrines qui les inspirent. La théorie économique définit les cadres conceptuels et les outils d'analyse permettant d'appréhender la disparité des taux de croissance entre États, de comptabiliser, et parfois même de prévoir, les flux monétaires et financiers, l'intensité et la direction des transactions commerciales. Elle permet d'annoncer les récessions et leur cycle, d'expliquer le rôle et la stratégie des entreprises transnationales, de comprendre les changements dans les modes de production et de consommation. Et puis, comme nous le verrons ultérieurement, les liens entre économie et politique font l'objet d'un intérêt croissant dans l'étude des relations internationales.

1.5. *Le droit et les institutions*

Les relations entre les États prennent souvent la forme d'engagements juridiques. Leur coopération donne naissance à des organisations intergouvernementales. La nature et la portée de ces obligations sont codifiées dans les normes du droit international public, qui repose en particulier sur le principe : *Pacta sunt servanda,* les accords doivent être respectés. Les liens contractuels entre les États, les devoirs et les procédures qu'ils imposent, les institutions qu'ils créent constituent l'assise de la politique internationale. Les juristes maîtrisant le langage, les codes et les procédures du droit international, ont pour mission d'élaborer ces engagements, de les interpréter, de donner des arguments pour justifier leur violation. Leur savoir et leur pratique professionnelle s'inscrivant dans le champ normatif, ils doivent par vocation résister aux questions portant sur les fondements sociologiques et politiques du droit et des institutions. Ils ont parfois tendance en conséquence à surestimer l'influence des obligations juridiques sur le cours des relations internationales, négligeant les forces sociales et politiques déterminant leur formation et leur évolution.

Dans l'entre-deux-guerres, l'étude du droit et des institutions internationales occupa une place centrale dans la littérature sur les relations internationales, tant étaient fortes les aspirations à la paix et l'espoir que l'on plaçait dans la Société des Nations et la nouvelle Cour permanente de justice internationale. Cette perspective légaliste, inspirée par les idéaux du président américain Woodrow Wilson, fut déconsidérée par la montée des fascismes, l'éclatement de la Seconde Guerre mondiale, puis les désillusions suscitées par les Nations unies durant la guerre froide. On remarque aujourd'hui un renouveau d'intérêt pour le rôle des normes et des institutions dans l'évolution des relations internationales.

2. Vers une théorie des relations internationales

2.1. *L'objet des relations internationales*

La définition d'un objet d'étude est toujours en partie arbitraire et suscite en conséquence des controverses entre chercheurs. On admet cependant assez généralement que les relations internationales désignent en premier lieu la sphère des rapports entre États, leurs interactions de politique étrangère. On reconnaît aussi qu'elles comprennent, dans une perspective plus large, tous les échanges entre sociétés nationales ayant une dimension politique. Parmi les innombrables relations transfrontalières, on choisit par convention celles qui sont de nature politique, ou qui ont des effets politiques. C'est la raison pour laquelle on peut également définir leur objet en utilisant le concept de politique internationale. Ce postulat admis, c'est vers la science politique qu'il faut chercher en premier lieu les cadres conceptuels et les méthodes permettant de comprendre les caractéristiques des relations internationales et donnant les moyens d'analyser de manière systématique les principaux phénomènes qui marquent leur évolution.

La science politique s'est imposée au XXᵉ siècle dans le champ des sciences sociales avec l'ambition de comprendre et d'expliquer les hiérarchies de commandement inhérentes au gouvernement des sociétés, notamment les rapports d'autorité au sein des États, les conflits d'intérêts et de valeurs portant sur la chose publique, les affrontements entre partis et organisations pour le partage du pouvoir et pour la distribution des ressources qu'il contrôle. Au départ, l'étude de la vie politique des États fit des emprunts aux disciplines classiques — la philosophie, l'histoire, le droit, l'économie. Elle se constitua bientôt en discipline autonome, définissant ses propres cadres d'analyse et ses démarches spécifiques.

2.2. Une discipline anglo-saxonne

La science politique des relations internationales s'est développée avec un certain retard par rapport à celle portant sur l'État. Les premières ébauches de cette démarche apparaissent dans les années trente avec l'affirmation d'un cadre conceptuel politologique manifestant l'ambition d'élucider scientifiquement les fondements des rapports interétatiques. Peu avant le début de la Seconde Guerre mondiale alors que la faillite de la Société des Nations (SDN) est consommée, l'historien Edward H. Carr publie un essai intitulé *The Twenty Years Crisis,* ouvrage qui donnera une inspiration féconde à l'analyse de la politique internationale. Un peu plus tard aux États-Unis, Nicolas Spykman tente d'étudier les nouvelles structures de la politique mondiale à partir des postulats de la géopolitique.

En fait, cette perspective politologique trouve son véritable essor au cours de la guerre froide avec l'ouvrage de Hans Morgenthau, *Politics among Nations,* publié en 1948, et souvent réédité. Elle est également inspirée par les travaux du théologien Reinhold Niebuhr, du politologue Arnold Wolfers, du journaliste Walter Lippmann. Ainsi une nouvelle discipline voit le jour aux États-Unis : la théorie des relations internationales. Son apparition coïncide avec l'ascension des États-Unis sur le devant de la scène mondiale Les grandes universités américaines, qui disposent alors d'importants moyens, se sentent concernées par ce défi politique. Elles accueillent de nombreux intellectuels européens qui éprouvent le besoin de mettre leur expérience et leur savoir au service d'une nouvelle conceptualisation des relations internationales. Cette théorie a pris une emprise grandissante sur l'analyse des relations internationales ; elle s'efforce de définir la spécificité de leur objet, de formuler des cadres conceptuels appropriés à leur domaine ; elle tente aussi d'élaborer des programmes de recherche portant spécifiquement sur cette sphère particulière de la politique.

Cette démarche prétend se distinguer de l'histoire diplomatique ; elle veut surtout prendre ses distances à l'égard des perspectives juridiques et institutionnelles qui avaient jusqu'alors marqué la littérature consacrée aux relations internationales. À la conception légaliste et optimiste, à l'«idéalisme» d'inspiration wilsonienne, qui avait dominé dans les années 1930 l'étude des relations internationales, elle oppose une analyse politique dite «réaliste», visant à découvrir les lois d'évolution des relations internationales, à partir d'une étude rigoureuse de l'expérience historique.

Au début de son ouvrage, Hans Morgenthau a défini en ces termes les principes de sa théorie : «Le réalisme politique croit que la politique, comme la société en général, est gouvernée par des lois objectives qui ont leurs racines dans la nature humaine. [...] Le principal critère du réalisme en politique internationale est le concept d'intérêt défini en termes de puissance. [...] Cependant, le type d'intérêt déterminant l'action politique dans une période donnée de l'histoire dépend du contexte politique et culturel au sein duquel la politique étrangère est formulée. [...] La puissance peut inclure toute chose qui établit et maintient le contrôle de l'homme sur l'homme.»

Cette réaction contre l'utopie wilsonienne est donc marquée par des circonstances historiques. Le «réalisme» s'inscrit pourtant dans la tradition d'un courant trouvant ses origines doctrinales dans la pensée de Hobbes et de Machiavel, ou même chez Thucydide dans l'Antiquité grecque. Il connaît bientôt son prolongement en Angleterre dans les travaux de John Herz, Hedley Bull, Martin Wight. Aujourd'hui encore, cet effort de réflexion politologique apparaît comme une discipline anglo-saxonne. Ainsi, la *Revue française des sciences politiques* accorde peu de place à l'analyse des relations internationales. Pourtant, les études dans ce domaine ont beaucoup progressé en France, avec l'ouvrage de Raymond Aron, *Paix et guerre entre les nations* (1962), puis avec ses réflexions sur Clausewitz, et aussi avec les travaux de Marcel Merle et de Marie-Claude Smouts et Bertand Badie. Le développement d'enseignements et de recherches académiques sur cet objet a également connu un certain essor en Allemagne, dans les pays scandinaves et en Suisse.

3. Qu'est-ce que la théorie des relations internationales ?

La notion de «théorie» utilisée dans ce contexte présuppose une ambition scientifique : analyser de manière rigoureuse la dynamique des relations internationales, éventuellement prévoir leur évolution. Le chercheur s'emploie en particulier à définir les principaux acteurs de la politique internationale, à expliquer la nature et le sens de leurs interactions, par exemple en mettant à jour la configuration des rapports de force, les structures économiques, les institutions et perceptions qui déterminent les processus de décisions gouvernementaux. La démarche théorique exige l'organisation de la connaissance de matière systématique et cohérente, en construisant ou en développant des concepts précis, en formulant des hypothèses, en précisant les variables pertinentes, leur hiérarchie, en établissant des procédures de recherche dont les résultats doivent pouvoir être validés rationnellement par le biais de contrôles intersubjectifs.

3.1. Les débats

L'étude théorique des relations internationales est caractérisée par les mêmes difficultés et les mêmes disputes que les enquêtes sur n'importe quel objet complexe des sciences sociales. Elle a été marquée par les débats entre les adeptes des courants issus du positivisme ou de l'empirisme et ceux qui s'inspiraient de traditions politologiques classiques, issues notamment de l'hermeunétique webérienne ou de la dialectique marxiste. L'un des principaux inspirateurs du courant réaliste après la Seconde Guerre mondiale, Hans Morgenthau, s'était fixé un programme de recherche ambitieux, en prétendant donner une explication générale de la politique internationale fondée sur l'analyse des ambitions essentielles des États, qu'il croyait découvrir dans une quête incessante de puissance. Il croyait pouvoir affirmer l'existence « de lois objectives qui ont leurs lois dans la nature humaine ». Ses concepts furent néanmoins jugés trop imprécis par des auteurs qui cherchaient à mettre sur pied une *théorie empirique* des relations internationales, s'inscrivant dans un programme de recherche marqué par le positivisme. Les partisans de cette dernière approche ont trouvé une large audience au cours des années soixante dans la mouvance d'un courant de recherche américain dit *béhavioriste* qui s'attachait à l'étude des comportements apparents des acteurs sans en rechercher les fondements.

3.2. Le modèle des sciences de la nature

Aujourd'hui encore, les empiristes prétendent être les seuls représentants de la démarche scientifique. Leur modèle est celui des sciences exactes. Ils s'emploient à découvrir des rapports de causalité entre les faits sociaux dans le but de mettre à jour des lois analogues à celles en vigueur dans l'explication scientifique des phénomènes naturels. Ils s'efforcent d'énoncer des hypothèses susceptibles de procédures de vérifications ou d'invalidation formulées en termes mathématiques et universellement acceptables. Le critère de scientificité — l'influence de Karl Popper à cet égard est évidente — se situe dans les énoncés théoriques pouvant faire l'objet d'une expérimentation. Les définitions doivent être opérationnelles. Les hypothèses sont à confronter à des faits empiriques. Dans leur perspective, la science doit s'occuper des faits. Elle doit se dégager de toute emprise idéologique, en évitant de se prononcer sur les enjeux normatifs des processus sociaux, en esquivant les débats de nature éthique. Le problème, c'est qu'il est impossible d'appréhender les questions de politique internationale en dehors d'un cadre de référence normatif. Ainsi, pour analyser une politique d'agression, une intervention humanitaire ou un régime il faut se positionner par rapport aux valeurs politiques et au droit qui permettent de caractériser ces types de problème.

Les partisans des théories classiques ont rejeté la vision limitative et erronée des sciences sociales proposés par les empiristes, leur tendance à confondre des méthodes d'investigation, notamment, celles recourant à la quantification, avec un énoncé théorique. Ils ont surtout souligné la pauvreté des résultats mis en avant par les partisans de ces approches empiriques. Ils leur ont reproché d'accumuler des faits, sans se préoccuper de définir les concepts, les hypothèses, les systèmes de valeur justifiant leur méthode de recherche, ou de se précipiter sur de petits objets permettant d'établir des corrélations simples comme si, des résultats de ces recherches devait surgir la réponse à des pratiques plus complexes.

3.3. *La recherche du sens*

Les partisans des démarches classiques considèrent que les faits sociaux se dérobent le plus souvent aux tentatives de les circonscrire par des procédures d'enquête strictement scientifiques, analogues à celles en vigueur pour l'appréhension des phénomènes naturels. Ils affirment que les efforts visant à construire des systèmes explicatifs inspirés par le modèle des sciences naturelles, déterminant les variables à prendre en compte, établissant des corrélations entre ces variables, utilisant la réalité sociale comme laboratoire pour tester les hypothèses, se sont révélés décevants. Les faits n'existent pas en soi, en dehors des cadres conceptuels permettant de les appréhender. Les données empiriques, si nombreuses soient-elles, les corrélations entre ces données, n'apportent aucune explication rigoureuse des phénomènes politiques et sociaux.

Ainsi dans la conception théorique d'inspiration wébérienne, les faits ne sont compréhensibles que si l'observateur parvient à reconstituer la volonté des acteurs. Des chars dans une ville peuvent être en position défensive ou offensive. Ils peuvent mater une guerre civile, faire partie d'une armée d'occupation, rejoindre un point de ralliement pour un défilé de commémoration ou figurer dans un film. Par ailleurs, l'observateur pour comprendre doit s'impliquer. Il ne peut pas rester à l'extérieur de son objet d'étude, notamment parce qu'il devra interroger des témoins ou les acteurs de l'histoire en question, décoder leur système de référence socioculturel.

3.4. *Le problème de l'objectivité*

Cette démarche «compréhensive» pose aussi le problème de l'objectivité. La réalité sociale n'existe pas en tant que telle ; elle est appréhendée par des concepts. Le chercheur mobilise ainsi son intellect et son émotivité. Il s'efforce de brider cette dernière, de garder une distance par rapport aux événements et processus sociaux qu'il analyse, de les évaluer de manière neutre et équitable. Toutefois, son étude porte nécessairement sur des croyances, des normes, des opinions. Elle mobilise des réseaux de significations qui concernent sa propre identité, ses intérêts, ses affects. Exclure toute forme de subjectivité pour atteindre à l'ascèse d'un chercheur neutre et détaché n'est pas nécessairement une bonne procédure d'enquête, car on sait le rôle que joue la sensibilité dans l'analyse du réel. Après tout, les grandes découvertes scientifiques surgissent toujours d'une expérience mobilisant les affects. La distance et l'impartialité ne sont donc pas des qualités plus utiles à la recherche que l'empathie, la compréhension au sens webérien du terme.

Il faut donc échapper à deux pièges : quêter une objectivité en quelque sorte transcendante ou tomber dans une subjectivité incommunicable donc arbitraire. Le problème des règles du jeu de l'action sociale peut conduire à une forme de relativisme absolu, niant la pertinence de l'activité scientifique. Les mêmes crises ne sont pas rejouables, parce que les acteurs apprennent des expériences passée. Les auteurs d'inspiration postmoderniste, marqués notamment par Michel Foucault, affirment l'impossibilité de faire la moindre généralisation puisque toutes les actions sociales découlent de règles du jeu, donc d'idées, qui sont par conséquence évolutives. En outre, les perceptions sont très diverses selon les groupes sociaux. Il n'y a pas d'événement, mais une multitude de groupes, d'enjeux sociaux, de manière d'appréhender la réalité. Il n'y a dès lors pas de communication entre les expériences vécues, pas de possibilité de les appréhender, en raison de la multitude des règles du jeu. Tout est subjectivité. Il n'y a pas de communication intersubjective possible entre les chercheurs, et les objets de leur recherche se dérobent par essence à leur compréhension. Ce genre de perspective est sans issue, parce qu'elle est entachée d'une contradiction interne insoluble. Elle s'affirme comme une proposition qui n'a pas de valeur scientifique à l'aune de ses propres postulats relativistes. Pour sortir de cette impasse, on peut admettre qu'il est possible de s'entendre au sein d'une communauté de chercheurs sur un ensemble de concepts définissant de manière précise des phénomènes et des processus et de rechercher des lois de comportement pour un ensemble social dont on connaît les logiques. Par exemple, un marché est un ensemble de rapports sociaux dont les lois de fonctionnement sont relativement stables ; elles peuvent être appréhendées et vérifiées, en particulier lorsque l'on connaît les dispositions utilitaires animant les acteurs de ce système. On doit aussi reconnaître que les sciences sociales n'ont pour objet de découvrir la Vérité, mais de progresser sur le chemin de la connaissance.

3.5. *La théorie comme cadre d'interprétation*

En fait, l'activité scientifique ne consiste pas à expliquer le réel, comme le rappelle Raymond Boudon dans *La place du désordre* (PUF, 1984), mais de répondre à des questions sur le réel. Les théories en sciences sociales énoncent généralement des possibilités plutôt que des lois. Pour être scientifiques, les données que l'on cherche à expliquer ne peuvent être que partielles, localement bien situées. Elles ne peuvent se démontrer que dans le cadre d'un ensemble de conditions bien spécifiées. Les théories sont en fait souvent des cadres conceptuels élargissant notre compréhension de certains processus ou phénomènes. Elles peuvent s'appuyer sur une démarche de nature essentiellement historique; elles peuvent aussi proposer un schéma d'explication sociologique tendant à mieux cerner la dynamique de certaines solutions politiques. Il faut convenir cependant que la plupart des théories des relations internationales, comme beaucoup de propositions de la science politique, relèvent de doctrines, à savoir d'un ensemble de notions considérées comme vraies et par lesquelles on prétend fournir une interprétation des phénomènes sociaux, tout en orientant l'action des hommes.

L'analyse scientifique de la réalité sociale consiste souvent à rompre avec le sens commun. En fait, le langage et le discours des sciences sociales se vulgarisent très vite. Par conséquent, le grand public n'ignore pas quels sont les principaux enjeux de ces disciplines et intègre rapidement leurs concepts et leur langage. Il en résulte que le sens commun n'est pas nécessairement à des années-lumière de la compréhension offerte par les sciences sociales. Toutefois, cet effort de rupture passe par l'adoption d'un système d'interprétation donnant signification et cohérence aux pratiques sociales. Il peut impliquer la découverte des structures conditionnant l'action individuelle ou collective, structures qui n'apparaissent pas au premier regard. Il vise à dévoiler le sens de pratiques sociales, de symboles et de mythes orientant l'action politique.

Certains systèmes d'explication tendent à la construction de faits échappant effectivement à l'évidence du sens commun. Lorsque les structuralistes s'efforcent de rechercher des systèmes de relations socialement déterminantes en rejetant comme anecdotiques d'autres faits qui apparaîtraient de prime abord plus importants, ils expriment un choix herméneutique qui tend à privilégier des phénomènes qui n'auraient pas été repérés dans un autre système d'interprétation. La théorie freudienne ne construit pas les mêmes faits que la sociologie webérienne ou marxiste. Les divergences d'interprétation ne portent pas seulement sur les faits, mais sur la reconnaissance des données sur lesquelles doivent porter les interprétations. La psychanalyse donne une signification à des faits qui ne sont pas reconnus par d'autres approches. Avant Freud, personne n'aurait accordé un rôle structurant dans l'évolution de la personnalité aux relations précoces entre l'enfant et ses parents.

Quel est le statut scientifique de ces systèmes d'interprétation? On connaît les réticences de Popper à l'égard des théories non validables, comme le marxisme ou la psychanalyse. Un comportement agressif peut être expliqué dans la théorie psychanalytique par des pulsions contradictoires, dont les virtualités aboutissent également à des comportements contradictoires. La névrose obsessionnelle peut aussi bien donner naissance au bureaucrate qui taille des crayons et collectionne des timbres-poste qu'à des personnages comme Himmler ou Eichmann. Si bien que l'on peut s'interroger sur la valeur d'une interprétation donnant une même explication pour des modes de fonctionnement si différents.

On peut définir la théorie des relations internationales comme la quête de cadres conceptuels permettant l'organisation de la recherche, orientant la formulation d'hypothèses pertinentes sur l'explication des phénomènes ou des processus étudiés, enrichissant leur compréhension. Cette théorie, malgré ses prétentions de départ, doit se fixer aujourd'hui des objectifs modestes : améliorer la compréhension des relations internationales, développer la connaissance du comportement des États et des autres forces politiques à l'œuvre dans cette sphère politique, expliquer avec autant de rigueur que possible certains types de phénomènes ou processus. Généralement, les différents cadres d'analyse constituent moins un ensemble de propositions cohérentes dont on pourrait déduire des conséquences susceptibles d'être validées par une confrontation rigoureuse avec la réalité, qu'une série d'énoncés métathéoriques qui éclairent les structures marquant l'évolution de la politique internationale, et qui permettent d'interpréter le comportement de ses principaux acteurs. R. Boudon a fait la distinction dans *La Place du désordre* entre les théories formelles, qui présentent un cadre d'interprétation élargissant la compréhension des phénomènes sociaux, mais qui ne peuvent pas faire l'objet de procédures de validation empirique, et les théories au sens strict, qui peuvent être vérifiées, mais sous certaines conditions précises. On a également opéré la distinction entre les théories générales des relations internationales et les théories partielles. Les premières prétendent donner un cadre conceptuel expliquant la dynamique des relations internationales dans leur ensemble ; les secondes s'efforcent d'expliquer un événement ou un processus particulier.

3.6. *Les paradigmes*

Si l'on fait exception des périodes de rupture épistémologique, il existe un accord assez général au sein de la communauté des chercheurs sur le choix des problèmes les plus importants, et sur la manière d'appliquer la raison à l'investigation de ceux-ci. Cette convergence s'exprime dans la notion de paradigme, qui représente la tradition de recherche d'une communauté scientifique donnée. Dans l'étude des relations internationales, la différence entre paradigmes s'exprime avant tout dans la spécificité des concepts énoncés et le choix des variables structurelles prises en compte pour comprendre la dynamique des processus politiques.

La différence est particulièrement forte entre les « réalistes » et les marxistes. Dans les années soixante-dix, certains auteurs américains ont également suggéré l'émergence d'un paradigme des « relations transnationales ». Comme nous le verrons, les premiers accordent une importance déterminante aux conflits et rapports de force entre États. Les seconds recherchent dans les modes de production, et les conflits de classes qui en résultent, le sens de la dynamique internationale. Les partisans du « transnationalisme » insistent sur les phénomènes d'intégration économique et politique. Les adeptes de ces différents cadres conceptuels ne divergent pas sur les principaux phénomènes des relations internationales, mais sur l'interprétation à donner de leurs causes.

Chapitre 2

Quête de la puissance et intérêt national

1. La scène internationale

1.1. *Un milieu «anarchique»*

Les «réalistes» ont eu pour objectif initial la définition du champ des relations internationales, notamment la mise à jour de leurs caractéristiques propres. Ils ont souligné ce qui distinguait la politique internationale de la politique interne des États. Ils ont trouvé cette spécificité dans la nature des principaux acteurs politiques et de leurs interactions. Pour eux, la politique internationale a pour objet principal les relations entre États. Or, ces derniers sont souverains, et nulle autorité ne peut leur imposer le respect d'un régime de droit. Ils sont libres de se faire justice, donc de recourir à la force pour assurer la défense de leurs intérêts nationaux. En s'inspirant des considérations de Hobbes sur l'«état de nature», en reproduisant sa vision pessimiste de l'homme, les «réalistes» définissent le milieu international comme «anarchique». L'auteur du *Leviathan* (1651) voyait en effet dans l'absence d'un gouvernement central fort les raisons d'une guerre incessante entre les hommes. Or, les États qui ne sont dominés par aucune force supérieure, ont tendance à se faire la guerre en permanence ou tout au moins à s'affronter dans la poursuite de leurs intérêts égoïstes. Une telle représentation vise à forcer les traits essentiels de la politique internationale : c'est un «idéal type» au sens de Max Weber.

On doit reconnaître avec les «réalistes» que les relations internationales ont pour caractéristique première leur faible niveau d'intégration institutionnelle. De toute évidence, les États ne forment pas ensemble une communauté politique, au sens où le seraient la plupart des sociétés à l'intérieur de leurs frontières nationales. L'alternance des crises, des conflits et des guerres constitue en conséquence la trame de la politique internationale. «La force fait le droit». Cette formule a été utilisée pour justifier la violation de la neutralité belge par l'Allemagne en 1914. La SDN fut établie dans le cadre du traité de Versailles pour réaliser un système de sécurité collective auquel participeraient les États soucieux de maintenir la paix. Pourtant, ce projet a échoué, et les gouvernements fascistes ont invoqué toutes sortes de prétextes fallacieux pour défendre leurs politiques expansionnistes.

1.2. *La fragilité des institutions*

Depuis 1945, l'Organisation des Nations unies exprime ou symbolise les efforts des États pour instaurer un ordre international pacifique, fondé sur le respect de la justice et du droit. En réalité, les États qui font partie de cette institution n'ont pas eu les moyens d'instaurer une véritable communauté internationale et de mettre en œuvre les principes énoncés dans la Charte. Depuis sa création à San Francisco en 1945, elle n'a pas constitué un véritable obstacle à la guerre, et sa capacité de mobiliser des sanctions contre les agresseurs a presque toujours été défaillante. Il y a eu plus d'une centaine de guerres depuis la création des Nations unies, et ces conflits auraient fait une vingtaine de millions de victimes. Au cours de la guerre froide, qui a dominé les relations internationales jusqu'en 1987, les États-Unis et l'URSS sont souvent intervenus militairement à l'extérieur de leurs frontières pour y assouvir leurs ambitions politiques, pour y préserver leurs sphères d'influence. L'URSS s'est assuré le concours de gouvernements communistes dans la plupart des pays bordant ses frontières à l'Est, n'hésitant pas à faire marcher l'Armée rouge lorsque les Hongrois en 1956 ou les Tchécoslovaques en 1968 tentaient de recouvrer leur indépendance. Les États-Unis ont usé de procédés analogues pour renverser des gouvernements légaux en Amérique centrale ou dans les Caraïbes. La Chine a annexé le Tibet depuis le début des années cinquante. Au Moyen-Orient, Israël continue d'occuper et de coloniser les territoires qu'il acquit durant la guerre de 1967. Le Liban est devenu depuis le milieu des années 1980 une espèce de protectorat syrien.

Périodiquement, des gouvernements recourent à la force et violent les principes du droit international en inventant des arguties juridiques pour occulter leur politique d'agression. On ne compte pas les conflits régionaux au Moyen-Orient, en Asie et en Afrique, manifestant l'anarchie de la politique internationale, et l'échec de tout mécanisme de sécurité collective. Au cours de la dernière décennie, la guerre entre l'Irak et l'Iran, le conflit entre l'Argentine et le Grande-Bretagne en 1982, les opérations des États-Unis contre la Libye (1986), leurs interventions au Nicaragua au début des années quatre-vingt malgré les condamnations répétées de l'Assemblée générale des Nations unies, à Grenade (1983) et à Panama (1989), leur embargo contre Cuba, démontrent que l'utilisation de la force armée, la «politique de la canonnière», «la diplomatie coercitive» restent des options courantes des États puissants.

Certes, la fin de l'antagonisme Est-Ouest a permis de restaurer l'autorité du Conseil de sécurité des Nations unies. Lors de la dernière crise du Golfe, les grandes puissances se sont entendues pour redonner un sens à la notion de sécurité collective. «Le droit est le droit» affirme alors le président Mitterrand, pour justifier la participation de la France à la coalition contre l'Irak. En réalité, cette formule tautologique tendait à justifier le fait que les États-Unis et leurs alliés avaient décidé de livrer la guerre pour rétablir la souveraineté du Koweit, et empêcher l'Irak de poursuivre sa politique expansionniste. En l'occurrence, la Cour internationale de Justice n'a pas été saisie pour résoudre ce conflit. Par ailleurs, la guerre contre l'Irak n'a pas été livrée par les Nations unies. La coalition qui fut mise sur pied pour obliger Saddam Hussein à quitter le Koweit servait sans doute le droit international public, mais elle protégeait aussi les intérêts économiques et stratégiques des pays occidentaux. En d'autres termes, l'issue de cette crise a résulté d'un rapport de forces, non du jugement d'un tribunal international.

En fait, les grandes puissances définissent les conditions de la sécurité internationale et s'arrogent une bonne marge de manœuvre dans l'interprétation des principes de la Charte des Nations unies. Elles dominent les organisations internationales ; elles les utilisent souvent pour servir leurs propres fins, notamment pour légitimer leurs ambitions politiques et leur volonté d'hégémonie. Leur autonomie à cet égard montre qu'il existe dans la société internationale une pluralité de centres de décisions politiques indépendants, et souvent antagonistes. Pour les « réalistes », notamment pour E.H. Carr très proche des marxistes à cet égard, le droit et la morale dans les relations internationales ne font qu'exprimer la rationalisation des intérêts des principaux États dominant la politique mondiale.

Cette anarchie est également manifeste dans la répartition des ressources économiques de la planète. Les États parviennent occasionnellement à s'entendre à cet égard sur des principes de justice et d'équité, non sur leur mise en œuvre.

En définitive, les normes juridiques et les institutions sont fragiles ; leur emprise est faible, car les États interprètent à leur guise les obligations qu'elles imposent ; ils les transgressent volontiers en invoquant la défense de leurs intérêts nationaux. Contrairement à ce qui se passe dans la sphère étatique, il n'existe pas de pouvoir légitime pouvant instaurer et assurer un ordre politique en imposant son arbitrage dans les conflits entre États ; aucune autorité n'est capable de produire un ensemble de normes juridiques universellement reconnues comme légales, il n'existe pas de cour internationale pouvant juger de manière systématique et cohérente l'ensemble des différends entre États. Il n'existe pas de forces de police pouvant sanctionner les agressions afin de rétablir la paix. L'individu qui viole la loi au sein d'un État est passible d'une sanction. L'État contrevenant au droit international ne l'est généralement pas. Dans *Paix et guerre entre les nations,* R. Aron partant du postulat que les États sont souverains, donc libres de se faire justice, voit dans leur droit de recourir à la force une des spécificités des relations internationales.

1.3. *Un milieu hétérogène*

La société internationale est fondée sur le principe de la souveraineté nationale. Formellement, tous les gouvernements peuvent faire entendre une voix égale dans le concert des nations ; ils sont libres d'agir de manière indépendante dans les domaines de leur politique interne ou de leurs relations extérieures. Dans la pratique, les capacités d'exercer cette souveraineté varie considérablement. Les États diffèrent les uns des autres par la nature et la grandeur de leur territoire, par leur position géographique, par l'importance de leur population, de leur force militaire, par leur capacité d'accéder aux ressources matérielles. À l'Assemblée générale des Nations unies, on retrouve côte à côte les représentants de la Chine, dont la population dépasse le milliard d'habitants, et de minuscules entités étatiques comme le Liechtenstein, dont l'autonomie économique et politique est par ailleurs faible.

La scène internationale présente également une forte hétérogénéité économique et sociale, de la plus grande opulence à la pauvreté la plus extrême. Ces disparités n'apparaissent pas seulement dans les comparaisons entre les États, mais à l'intérieur des sociétés nationales. Elles exacerbent les conflits entre les gouvernements, entre les nationalités et les communautés ethniques qui se disputent pour la répartition des ressources économiques ; elles déterminent des conceptions divergentes de la politique internationale et de ses enjeux, rendant impossible ce minimum de convergence nécessaire à l'instauration d'une communauté mondiale.

Les relations internationales sont également marquées par de grandes fractures idéologiques et culturelles. Certes, les États sont composés de groupes sociaux appartenant à des classes distinctes, ou se réclamant de systèmes de référence religieux, culturels ou idéologiques différents. Cette complexité est toutefois encore plus prononcée dans l'ensemble de la société internationale. Ainsi, la guerre froide a divisé l'Europe pendant quarante ans en deux camps hostiles, structurant en fin de compte l'ensemble des relations internationales. Cet antagonisme ne se résuma pas à des conflits d'intérêts économiques et politiques traditionnels. Il porta sur les fondements et la finalité de la politique, et s'exprima en conceptions antagonistes de la liberté, du droit et de la vie en société, en interprétations divergentes du sens de l'histoire. À ce titre, il entredéchira la plupart des pays industrialisés. Ce n'est pas la première fois dans l'histoire que des États s'opposent sur des questions essentielles, comme en témoignent les guerres de Religion au XVIe siècle, ou même les guerres de la Révolution, de l'Empire et les conflits des nationalités depuis le XVIIIe siècle. Le conflit Est-Ouest a pris toutefois une dimension planétaire, marquant tous les aspects de la politique internationale.

Malgré la fin de la guerre froide, la politique internationale reflète toujours une forte hétérogénéité idéologique, politique et culturelle. Les peuples ne partagent pas les mêmes visions du monde et de l'histoire. Les gouvernements des États n'ont pas les mêmes régimes. Les avancées récentes des institutions démocratiques, en Amérique latine, ou dans les pays de l'Est européen, tendent à masquer ces divergences. En outre, le fonctionnement de l'économie de marché reste très aléatoire dans les pays qui ont abandonné le modèle collectiviste. La résurgence des conflits ethniques et des nationalismes hostiles, la montée des fondamentalismes religieux, constituent de nouvelles manifestations de cette hétérogénéité.

2. Conséquence de l'« anarchie »

La politique internationale, comme toute politique, a pour enjeu des conflits sur le partage du pouvoir et des ressources rares, des divergences d'intérêts et des antagonismes idéologiques. Les relations interétatiques, au même titre que la politique interne, comprennent par essence des rapports hiérarchiques et des échanges inégalitaires entre groupes sociaux. En définissant les caractéristiques propres de la politique internationale, les « réalistes » entendent dépasser ces propositions générales. Ils souhaitent, sinon prévoir la politique étrangère des États, du moins mettre à jour certaines régularités dans ce domaine.

2.1. *Le principe du « sauve-qui-peut »*

Ayant souligné les principales caractéristiques de la politique internationale, ces théoriciens y trouvent aussi des éléments pour expliquer la permanence des crises et des guerres dans les rapports entre États. Leur analyse pourrait sembler tautologique : l'anarchie entraîne l'anarchie. Effectivement, pour sortir de ces désordres, il faudrait une autorité supranationale, capable d'arbitrer les conflits entre les États et d'imposer son jugement par la force. Cette paix par l'empire ne serait pas nécessairement moins violente, ni plus juste ; elle serait toutefois l'expression d'une structure politique différente de celle que présente l'ensemble des rapports interétatiques.

Pour l'heure, les gouvernements n'ont d'autre choix que de veiller à la défense de leurs « intérêts nationaux ». C'est un objectif rationnel mais sa poursuite désordonnée par une grande variété d'acteurs étatiques donne aux relations internationales leur dimension conflictuelle, et parfois chaotique. Dans l'économie de marché, si l'on en croit les économistes libéraux, la maximisation des profits individuels contribue au bien-être général en encourageant la création de richesses. Rien de tel dans la politique internationale. En politique, la raison n'est pas univoque et, dans la sphère des rapports entre États, la notion d'intérêt national peut recouvrir un large éventail d'acceptions possibles, impliquant des positions stratégiques non moins diverses.

En partant du postulat de l'anarchie, en soulignant l'hétérogénéité de la société internationale, les « réalistes » font l'hypothèse que les gouvernements feront leur possible pour assurer la survie de leur État et la défense de leurs intérêts primordiaux. En fait, leurs capacités d'action sur la scène internationale sont dissemblables. Suivant leur position et leur statut, ils cherchent la protection d'une grande puissance, participent à des systèmes d'alliances politiques et militaires ou tentent d'assurer par eux-mêmes leur indépendance. La très grande majorité des États entretiennent des forces armées, et ceux qui y renoncent — le Costa Rica est un exemple rare — doivent nécessairement confier leur défense à la protection d'une puissance hégémonique.

2.2. *L'intérêt national*

La notion d'intérêt national est ambiguë, car elle fait l'objet de conceptions qui varient beaucoup au gré des circonstances historiques et politiques, selon la nature des régimes et des élites dirigeantes. Les gouvernements parviennent rarement à donner une définition univoque et stable de leur politique étrangère. Les ambitions des États changent selon les circonstances politiques, leur régime et les idéologies dominant la politique internationale. Leurs objectifs peuvent être la sécurité, l'expansion, la richesse, la propagation d'une idéologie, la gloire, le bien-être social. À ces fins, ils consacrent des stratégies différentes. Sous couvert de défendre leurs intérêts nationaux, les États peuvent aussi bien fortifier leurs frontières contre l'étranger, renforcer avec leurs voisins des liens d'échanges pacifiques ou, au contraire, chercher à les abattre dans une guerre de conquête. Ainsi, leur quête de sécurité s'exprime dans la défensive ou dans l'offensive, dans l'acquisition d'armements ou dans le développement de rapports de coopération économique et sociale, dans une attitude prudente de dépendance à l'égard des plus forts, dans une neutralité armée, dans l'impérialisme. Pour comprendre les intérêts nationaux et la stratégie de sécurité des États, il faut dégager au préalable les principes de la politique internationale. Ceux-ci ne sont pas identiques à l'âge de l'impérialisme dans la crise des années trente, au cours de la guerre froide ou à l'époque de la mondialisation. La diversité des projets étatiques, leur opposition, sont une autre source de conflits internationaux. En s'efforçant d'accroître leur sécurité, en poursuivant la défense de leurs intérêts stratégiques, en s'efforçant d'étendre leur hégémonie économique, les États risquent d'aviver l'insécurité de leurs voisins, et de mobiliser des réactions offensives. C'est un cercle vicieux, que l'on définit comme le « dilemme de la sécurité », et qui explique en partie la course aux armements. Dans cette situation d'incertitude, les gouvernements doivent en effet mobiliser des ressources militaires, économiques ou politiques pour préparer leur défense, pour assurer le cas échéant la satisfaction de leurs ambitions nationales en recourant aux menaces d'interventions armées, voire même à la guerre. On peut toutefois admettre avec les « réalistes » que pour atteindre leurs fins, les États vont user simultanément ou successivement de la coopération ou de la guerre. C'est la raison pour laquelle les relations internationales mobilisent en permanence le stratège et le diplomate. Raymond Aron les a définies comme d'essence « diplomatico-stratégique ».

3. La puissance

Autre axiome de la pensée «réaliste» : pour assouvir leurs intérêts nationaux, les États s'efforceront d'augmenter leur puissance. Ce concept est
d'usage courant dans la littérature sur les relations internationales. Il
reste toutefois flou. On y recourt notamment pour évoquer les États exer-
çant une influence prépondérante sur la politique mondiale, les «grandes
puissances». Ce concept désigne alors un statut politique privilégié,
auquel sont associés des avantages et des responsabilités particuliers. Il
est aussi assimilé à l'ensemble des rapports conflictuels de la scène internationale, ou aux comportements des États tendant à faire prévaloir leurs
intérêts nationaux. On parle alors de «politique de puissance», traduc-
tion imparfaite de la notion de *power politics,* qui devient dans la
littérature «réaliste» une métaphore de cette loi de la jungle qui
triomphe sur la scène internationale. Dans un sens analogue,
Morgenthau affirme dans son ouvrage *Politics among Nations :* «La
politique internationale, comme toute politique, est politique de
puissance.»

Pour sa part, R. Aron fait une distinction entre «pouvoir» et «puissance». Il refuse de confondre les rapports de puissance et les relations
de pouvoir, ces dernières caractérisant les différentes formes de
commandement interne découlant des institutions. L'action de l'homme
d'État n'a pas, pour lui, le même sens selon qu'elle est orientée vers la
sphère intérieure ou vers la politique étrangère. Dans le premier cas, elle
découle d'un commandement légitime, ou tout au moins tendant à
prendre un caractère légal. Dans le milieu peu structuré de la politique
internationale, la lutte pour la puissance prend des formes différentes des
luttes de partis pour la conquête du pouvoir de l'État : l'absence de loi
commune, de sanctions internationales, la possibilité de recourir à des
moyens non codifiés pour assurer la réalisation d'un objectif confèrent à
cette conduite «diplomatico-stratégique» une dimension particulière.
Ainsi, les hiérarchies de puissance associées au respect habituel et
général de normes et de pratiques contraignantes y sont rares ; les
rapports de commandement et d'autorité ont donc une faible assise institutionnelle ; ils s'expriment souvent à l'état brut, c'est-à-dire par la
coercition directe ou la menace de violence. Les conflits de puissance ne
visent généralement pas au contrôle des mécanismes administratifs ou
institutionnels permettant d'exercer une influence politique et sociale,
mais se manifestent de manière plus crue dans l'opposition de volontés
étatiques souveraines, dans le cadre des négociations diplomatiques, ou,
lorsque ces dernières échouent, sur le champ de bataille.

3.1. *Les éléments aléatoires de la puissance*

Quels sont les effets et les éléments constitutifs de la puissance? Morgenthau assimile cette dernière à la capacité d'un gouvernement de contrôler les actions d'autres États ou de les influencer. La puissance découle de trois sources : l'attente d'un bénéfice, la crainte d'un désavantage, le respect pour les hommes et les institutions. R. Aron, continuant la tradition webérienne, a défini la puissance sur la scène internationale comme «la capacité d'une unité politique d'imposer sa volonté aux autres unités». Il reconnaît aussi que la puissance politique «n'est pas un absolu mais une relation humaine». Dans cette perspective également, la politique de puissance s'inscrit dans une relation dialectique entre le commandement et l'obéissance. Ses dimensions psychologiques sont évidentes, puisqu'elles constituent un affrontement de volontés. Dans *Discord and Collaboration* (Baltimore, Johns Hopkins, 1962), Wolfers fait la distinction entre la puissance et l'influence, la première catégorie définissant la capacité d'altérer le comportement des autres acteurs par la coercition, la seconde signifiant la possibilité de l'infléchir par la persuasion. Il admet toutefois un *continuum* entre la puissance et l'influence, en raison du flou conceptuel qui sépare ces deux notions.

Les «réalistes» se sont efforcés de définir la puissance comme un élément quantifiable des ressources nationales, pour en faire une variable donnant un sens uniforme à l'action des États. De même que la maximisation des intérêts individuels dans l'économie de marché pourrait se définir en termes monétaires, la réalisation des ambitions nationales se résumerait en quête de puissance. Ainsi, au même titre que les individus peuvent poursuivre la richesse matérielle comme une fin en soi ou comme le moyen d'atteindre d'autres objectifs, les États s'emploient à renforcer leur puissance. Cette dernière serait donc assimilable au rôle que l'argent et le profit jouent dans l'économie de marché, éléments nécessaires à l'explication du régime capitaliste. De toute évidence, la théorie économique constitue une référence importante pour les auteurs «réalistes» soucieux d'atteindre par leurs efforts de conceptualisation une rigueur comparable.

3.2. *La force militaire*

Cependant, si les «réalistes» évoquent la puissance comme un facteur déterminant de la politique internationale, ils ne parviennent pas toujours à en offrir une définition convergente. La force militaire est naturellement un de ses éléments constitutifs. On voit bien quels peuvent être ses effets. Après l'invasion du Koweït par l'Irak en août 1990, les États-Unis ont été en mesure de rassembler une force de plus de 500 000 hommes, dotée du matériel militaire le plus moderne, de la déployer en quelques semaines dans le désert d'Arabie saoudite à des milliers de kilomètres des bases américaines, de convaincre une trentaine de pays de participer à une même coalition contre l'agresseur, de faire financer par des pays étrangers la majeure partie de cette entreprise, d'obtenir que les Nations unies légitiment leur décision d'intervenir par les armes, puis de livrer une bataille éclair, terrassant une armée que l'on décrivait alors comme la quatrième armée du monde. Dans ces circonstances, comment ne pas voir dans la force militaire un atout décisif des relations internationales ! Ainsi, E.H. Carr considère que la force militaire est d'une importance décisive puisque la guerre est *l'ultima ratio* de la politique entre États. Avec des nuances, les « réalistes » partagent ce point de vue.

Cette association de la puissance aux ressources militaires pourrait sembler justifiée en situation de crise ou de guerre. Cette définition simplifiée devrait *a priori* faciliter l'émergence d'une théorie validable empiriquement, les éléments de cette force étant susceptibles d'être quantifiés. En réalité, on sait bien que les ressources matérielles de la force militaire n'ont de sens que dans le cadre d'une stratégie, cette dernière impliquant des ressources politiques, intellectuelles ou morales non pondérables. C'est dire que la force militaire n'existe pas en soi. L'état-major français en 1940 pouvait mobiliser un nombre de chars équivalent à celui de l'Allemagne. Il n'a toutefois pas développé une doctrine opérationnelle pour les engager de manière efficace. Par ailleurs, l'opinion publique était défaillante. La guerre du Viêt-nam constitue un autre exemple de la difficulté d'évaluer des forces militaires en présence. Le gouvernement américain s'y engage avec des moyens considérables, mais doit se résoudre finalement à concéder une défaite. La Maison Blanche et le Pentagone ont vu leur front intérieur se lézarder, puis craquer. Leurs forces armées ont été mises en échec par un adversaire inflexible, maîtrisant parfaitement les atouts politico-stratégiques de cette guerre. Quelques années plus tard, les Soviétiques connaîtront une aventure semblable en Afghanistan. En réalité, la puissance ne se résume jamais à la force des armes. Définie en termes strictement militaires, la notion de puissance n'offre donc aucun critère permettant de comprendre les capacités et le rôle d'un acteur étatique. Le commandement militaire est confronté à des données difficilement évaluables comme le hasard, le moral des troupes, la qualité du commandement.

3.3. *Les hiérarchies de puissance*

En fait, la plupart des auteurs utilisent la notion de puissance dans une acception très large — comprenant des éléments matériels et immatériels —, ce qui complique encore les données du problème. On trouve en effet dans la littérature « réaliste » une énumération des éléments de la puissance qui comprend des variables matérielles et politiques. Ainsi, Morgenthau définit comme éléments constitutifs de la puissance des réalités telles que les ressources militaires, les capacités industrielles, les matières premières, les avantages géostratégiques, le nombre de la population. Il intègre aussi à la puissance les caractéristiques culturelles, le moral national, les qualités diplomatiques ou gouvernementales. Elle peut s'exercer par des ordres, des menaces, l'autorité ou le charisme d'un homme ou d'une institution, par une combinaison de ces attitudes ou phénomènes. Kenneth Waltz accorde une grande importance aux dimensions militaires de la puissance, mais admet qu'il n'est pas possible de les dissocier des capacités économiques, ou des autres ressources politiques que les nations peuvent mobiliser pour s'imposer. R. Aron fait la distinction entre la force et la puissance. Il voit dans les ressources militaires, économiques et morales des éléments de la force. Leur mise en œuvre dans des circonstances et en vue d'objectifs déterminés relève de la puissance. L'utilité des ressources, leur mobilisation éventuelle, sont en effet déterminées par la nature des objectifs. R. Aron a cru bon de distinguer trois éléments fondamentaux de la puissance :

– l'espace occupé par les unités politiques,
– les matériaux disponibles et le savoir,
– la capacité d'action collective.

Il a également souligné que la puissance d'une unité en temps de paix ne se mesurait pas comme celle qu'elle doit mobiliser en temps de guerre.

Dans la politique internationale, les constellations politiques et stratégiques sont toujours complexes. Les antagonismes se développent rarement en milieu restreint. Il est fréquent de constater que des guerres qui ont commencé à deux se sont terminées en confrontation générale. L'acteur étatique doit donc constamment miser sur l'incertitude des systèmes de coalition ou d'alliance, ce qui accroît encore le caractère aléatoire de la puissance. Si la puissance était clairement mesurable, la guerre deviendrait invraisemblable, car son résultat serait constamment prévisible. Les ressources qui sont mobilisées pour atteindre des objectifs politiques peuvent être très diverses. Dans le champ de la politique internationale contemporaine, des États dépourvus de ressources économiques ou militaires peuvent utiliser tout un éventail de moyens — du terrorisme à la propagande idéologique — pour atteindre leurs objectifs.

Ainsi, aucun État ne dispose d'une puissance absolue lui permettant d'imposer sa volonté en toutes circonstances. La possession d'armes nucléaires ne garantit pas la capacité de faire prévaloir son point de vue dans toutes les crises internationales. Au cours de la conférence de Potsdam, Staline aurait demandé combien le pape avait de divisions, pour manifester de manière ironique et rugueuse le peu de cas qu'il faisait de l'autorité de l'Église catholique. En temps de guerre, ou lorsque s'établissent les assises d'un nouvel ordre politique international, les rapports de force militaires priment sur ceux d'une autorité spirituelle. La puissance se comptabilise alors en termes de divisions, de chars, d'avions, d'artillerie, mais aussi de stratégies, de ressources économiques, de logistique, de commandement et de géographie. En temps de paix, lorsque diminuent les risques d'engagement militaire, lorsque le recours à la guerre n'est plus d'actualité, ces facteurs de puissance peuvent devenir d'un faible apport. Et dans ces circonstances, l'autorité de l'Église catholique, les positions idéologiques et politiques qu'elle cautionne ou propage, peuvent altérer le cours des relations internationales, comme le montre le rôle qu'elle a joué en Pologne et dans d'autres pays de l'Est européen, ou l'influence qu'elle exerce sur les sphères dirigeantes en Amérique latine. Les États-Unis ne peuvent pas imposer leur volonté à l'Union européenne dans des négociations commerciales en mobilisant des forces armées.

Les États poursuivent simultanément diverses finalités. Lers objectifs de politique internationale sont parfois contradictoires ; ils varient d'autant qu'ils ne sont pas des acteurs unitaires, puisqu'ils comprennent en leur sein des partis politiques qui n'ont pas les mêmes projets diplomatiques et stratégiques. Ils sont enserrés dans des réseaux complexes de rapports internationaux où se jouent l'ensemble de leurs buts politiques, sociaux, économiques. Les relations internationales étant multiples et complexes, les rapports de domination auxquels l'État se soumet ne sont jamais univoques. La domination est rarement un jeu à somme nulle, soit : A obtient de B qu'il fasse quelque chose qu'il n'aurait pas fait, sans contrepartie de la part de A. Le contrôle d'un État sur un autre dans un domaine peut être contrebalancé par une interaction réciproque du même type dans un autre domaine. En conséquence, il n'est pas possible de réduire la rationalité étatique à la poursuite d'un seul but et d'une stratégie unique, à moins de conférer au concept de puissance une vocation polysémique, donc dépourvue de rigueur scientifique.

3.4. *Le pouvoir des structures*

Si, comme le pense R. Aron, l'exercice du pouvoir au sein de l'État prend des formes qui diffèrent de la puissance s'exprimant en politique étrangère, on doit toutefois admettre que dans les deux cas, les effets sont analogues : un acteur politique parvient à faire triompher sa volonté, avec ou sans contrepartie, sur d'autres acteurs. C'est la raison pour laquelle les réflexions engagées sur le concept de pouvoir sont utiles à la compréhension de la puissance dans les relations internationales. Dans cette perspective, on peut également faire une distinction utile pour la compréhension des phénomènes d'hégémonie entre le pouvoir qui s'impose par le biais d'un commandement et celui, diffus, qui émane des pratiques sociales courantes. L'exemple des contraintes économiques est l'expression de ce type de pouvoir, où l'action d'innombrables individus produit une structure relativement contraignante, qu'il sera difficile de modifier, et dont les effets sociopolitiques peuvent s'avérer importants. Dans une société fondée sur une division poussée du travail et des fonctions, l'organisation est source d'un pouvoir. Son institutionnalisation signifie que l'obéissance est acquise par le respect automatique des lois. L'individu ne peut rien contre le groupe organisé, et la masse est souvent impuissante face à une minorité qui contrôle un ensemble institutionnel cohérent. Les structures sociales, les institutions qui en découlent et qui les renforcent, ont pour effet de limiter le champ des possibles.

Dans la même perspective, certains auteurs, comme S. Lukes dans *Power : a Radical View* (London, Macmillan, 1974) ont insisté sur le fait que le pouvoir ne se manifeste pas seulement dans la décision, mais également dans la non-décision et dans l'agenda politique. Le contrôle des institutions, des symboles, des valeurs idéologiques par les tenants du pouvoir peut limiter l'exercice des choix politiques. Selon cette conception, on ne devrait pas confondre le pouvoir avec son exercice effectif. Les ordres du gouvernement sont exécutés parce que les citoyens savent qu'ils peuvent être contraints à agir selon les intentions du pouvoir, ou simplement parce qu'ils croient, peut-être à tort, qu'ils peuvent l'être. Ils obéissent aussi parce qu'ils entendent adhérer aux injonctions du pouvoir. Il est toutefois difficile d'évaluer avec précision la nature de ces situations où les détenteurs du commandement n'ont pas eu besoin d'exercer leur pouvoir parce que l'obéissance n'était pas contestée. Dans toutes les traditions, les coutumes et les rites, comme dans n'importe quelle pratique institutionnelle, on peut constater des phénomènes d'aliénation. Ils pèsent notamment sur la famille et sur toute forme de vie communautaire. P. Bourdieu a développé une sociologie du pouvoir et des institutions qui va dans le même sens. Reste qu'il n'est pas facile de justifier en sciences sociales le point de vue à partir duquel on pose ce diagnostic d'aliénation ; dans ce domaine, les éclairages ne sont pas convergents, car ils mobilisent des valeurs ou des philosophies de l'histoire. Or, il n'existe pas de critères universellement acceptés pour hiérarchiser ces dernières, que l'on songe à la différence entre les herméneutiques marxistes ou freudiennes, pour prendre un exemple.

La modernité est née de l'effort d'explication rationnelle et scientifique du monde, et ce mouvement impose nécessairement l'établissement de catégories analytiques tendant à distinguer les différents éléments de la réalité. Le danger c'est de perdre dans ce découpage les interactions dialectiques entre les éléments ainsi mis à jour. Nos efforts pour distinguer des variables, pour pondérer leur incidence sur l'évolution des processus sociaux, masquent parfois la complexité de leurs interactions. On peut par exemple admettre que les sources de pouvoir social sont à la fois culturelles, idéologiques, institutionnelles, économiques, militaires et politiques, sans parvenir nécessairement à établir une hiérarchie précise entre ces différents facteurs, entre des rapports de pouvoir qui s'entrecroisent, se renforcent mutuellement ou s'opposent.

4. L'équilibre de puissances

La société internationale étant faiblement intégrée, les États forts y jouent un rôle prépondérant, puisqu'ils ont, plus que d'autres, les moyens d'infléchir l'évolution de ses structures économiques et politiques. Autre axiome : les grandes puissances tendent à s'équilibrer mutuellement, soit en recourant à leurs propres ressources politiques et militaires, soit en développant des systèmes d'alliances susceptibles de contrebalancer les forces adverses. Cette notion d'équilibre est donc un concept central de la théorie « réaliste ». Elle définit un objectif primordial de la politique étrangère des grandes puissances.

L'idée n'est pas nouvelle. En 1742, le philosophe anglais David Hume lui consacre un essai. En 1758, dans son ouvrage *Le Droit des gens,* le diplomate et juriste suisse Emmerich de Vattel en définit également le principe : une situation telle qu'aucun État ne soit en position de prédominance et ne puisse imposer son droit aux autres. L'histoire de la diplomatie européenne est riche en configurations politiques diverses manifestant la volonté des grandes puissances de contenir leurs adversaires potentiels par cette stratégie d'équilibre.

La politique de la Grande-Bretagne fut longtemps inspirée par le souci d'empêcher l'établissement en Europe d'une puissance hégémonique, capable d'entraver les communications de la marine anglaise avec son Empire, et de gêner le commerce avec les autres pays européens. La France, la Prusse, l'Autriche et la Russie poursuivirent régulièrement depuis le XVIIIe siècle des objectifs stratégiques analogues. Après la Seconde Guerre mondiale, l'antagonisme entre les États-Unis et l'URSS s'est figé dans un équilibre bipolaire.

Dans « l'état de nature » des relations internationales surgit donc une structure, celle qui se dégage de la configuration du rapport des forces entre les grandes puissances. Le comportement de ces dernières est conditionné, sinon même déterminé, par la nécessité d'agir selon les contraintes de l'équilibre. C'est la raison pour laquelle les « réalistes », Morgenthau en particulier, ont tendance à négliger les fondements idéologiques, ou les facteurs personnels, dans la conduite des politiques étrangères des grandes puissances. Ces dernières sont vouées à des objectifs nationaux permanents qui sont dictés par la situation géostratégique et surtout par les contraintes structurelles découlant de la configuration du rapport des forces.

5. L'approche systémique

Cette analyse des phénomènes d'équilibre peut déboucher sur l'adoption d'un cadre conceptuel systémique. Dans *Paix et guerre...*, Raymond Aron a souvent recouru au concept de système pour évoquer la dynamique des relations internationales. La théorie systémique s'efforce de mettre en évidence des ensembles et analyse la structure déterminée par les interactions des principaux éléments qui les constituent. Pour les adeptes de cette perspective, la société internationale présenterait des caractéristiques suffisamment stables pour qu'on puisse l'envisager comme un système, en recherchant la configuration particulière qui naît de l'interaction de ses principaux acteurs, et des contraintes structurelles inhérentes à l'organisation qui en découle. Selon cette perspective, on pourrait également envisager des sous-ensembles présentant des caractéristiques systémiques analogues, manifestant des interactions et des configurations propres. Ce serait le cas des différents systèmes régionaux, comme le sous-système panaméricain, le sous-système africain, celui du Moyen-Orient, dont la dynamique échapperait en partie à l'emprise du système global.

La démarche systémique part donc de l'hypothèse que la structure née de l'interaction des acteurs a des effets contraignants, ou tout au moins qu'elle exerce une influence non négligeable sur leur comportement. Ainsi, par exemple, le concert des grandes puissances produit un ordre politique, imposant des règles du jeu, créant les conditions d'une certaine stabilité, ou permettant de prévoir la politique étrangère des États composant ce système.

La valeur heuristique de ce cadre conceptuel est incontestable. Reste qu'il n'est pas facile de dégager les caractéristiques structurelles d'un système international, ni de démarquer ses frontières avec celles des sous-systèmes régionaux. Pour les auteurs «réalistes», la structure est déterminée principalement par les rapports de forces politico-stratégiques entre les acteurs dominant le système international. Dans la dynamique des interactions conflictuelles entre grandes puissances, le système international s'oriente soit vers l'hégémonie d'un empire, soit vers une forme d'équilibre entre les principaux États. L'anarchie du système tend à se cristalliser en ordre relatif, à produire une organisation constituée par l'équilibre des grandes puissances. Cette évolution est considérée comme la réponse du système aux efforts des principaux acteurs pour étendre leur hégémonie. La configuration de leurs rapports de forces donnera lieu à une structure multipolaire, ou bipolaire, à des réseaux d'alliances politiques et militaires constituant des éléments institutionnels de cet équilibre.

5.1. *Les caractéristiques des systèmes*

Après avoir défini cette structure, il reste à montrer dans quelle mesure et comment elle influence l'évolution de la société internationale. Les «réalistes» s'y sont attelés. Morton Kaplan s'est efforcé dans un ouvrage intitulé *System and Process in International Politics* (1957) de définir six modèles de systèmes internationaux, de formuler leur loi de fonctionnement, les conditions pouvant mener un système à l'instabilité, puis à sa transformation, mais sa tentative est restée infructueuse, en raison de son trop grand niveau d'abstraction. Raymond Aron a montré l'inanité de cet essai, tout en paraissant reconnaître la validité de la loi d'équilibre des forces. Évoquant le système bipolaire fondé sur la force nucléaire, Aron a cru pouvoir affirmer à son propos : «la loi la plus générale de l'équilibre s'applique : le but des acteurs principaux est de ne pas se trouver à la merci d'un rival. Mais comme les deux Grands mènent le jeu, que les Petits, même en s'unissant, ne peuvent balancer un des deux Grands, le principe d'équilibre s'applique aux relations entre les coalitions, formées chacune autour d'un des meneurs du jeu. Chaque coalition a pour objectif suprême d'interdire à l'autre d'acquérir des moyens supérieurs aux siens.» (R. Aron, *op. cit.*).

Dans le *Traité de science politique* édité par M. Grawitz et J. Leca (t. 1, Paris, PUF, 1985), Stanley Hoffmann s'est également efforcé de dégager les conséquences de l'équilibre de la terreur. Le «système diplomatico-stratégique» est caractérisé tout d'abord par une stabilité au niveau central et global du système, mais aussi par une instabilité aux niveaux inférieurs. En d'autres termes, la structure bipolaire caractérisée par la puissance nucléaire des deux «Grands» a permis d'éviter l'éclatement d'une confrontation militaire directe entre les principaux acteurs du système, sans toutefois gêner le développement des guerres à la périphérie de ce système. Le système international est fragmenté en sous-systèmes régionaux. Dans le cadre de ces ensembles, l'issue des conflits est avant tout déterminée par les rapports de forces militaires. En conséquence, l'équilibre stratégique nucléaire n'empêche pas le développement des guerres régionales. Par ailleurs, si les grandes puissances ne peuvent s'affronter militairement, le développement de leurs antagonismes comprend des crises engagées par leur volonté de modifier le *statu quo* et leur sphère d'influence respective (les crises de Berlin et de Cuba), ou par leur intention d'étendre leurs rapports conflictuels à des États tiers (guerre de 1973 au Moyen-Orient). Enfin, les grandes puissances se sont engagées à éviter la destruction générale par un accident ou par l'escalade. Elles se sont efforcées de limiter aussi leurs interventions à l'extérieur de leur propre sphère d'influence. Cette prudence ne les a pas dissuadées de rechercher des avantages marginaux dans des zones secondaires. L'évolution de cette structure d'équilibre reste toutefois incertaine. La modération n'est pas assurée. La frustration des ambitions antagonistes peut provoquer des «courts-circuits». Les crises futures risquent toujours de dégénérer en affrontements militaires directs. D'autant que les changements technologiques conduisant à la miniaturisation des bombes atomiques, à la précision grandissante des vecteurs, engendrent la tentation de guerres limitées de type conventionnel ou nucléaire.

5.2. *Le néo-réalisme de Waltz*

Kenneth Waltz a tenté de renouveler la perspective «réaliste» en s'inspirant de l'analyse systémique. En 1979, il publie *Theory of International Politics,* un ouvrage qui suscitera un large débat dans les milieux académiques concernés. Il commence par réaffirmer la perspective traditionnelle : le principe de la souveraineté étatique confère au système international ses caractéristiques propres, en limitant les domaines de coopération internationale, en interdisant toute intégration durable. Les États poursuivent de manière indépendante un objectif rationnel : la réalisation de leur sécurité et de leurs «intérêts nationaux». Ce faisant, ils créent par leurs interactions une structure contraignante.

La comparaison avec la structure du marché capitaliste lui semble éclairante : pour survivre, les entreprises doivent développer leur propre stratégie, ce qui rend à la longue impossible l'optimisation des profits collectifs. Leur compétition est «anarchique» puisqu'elle n'obéit à d'autre loi que celle du profit, mais de cette compétition entre des acteurs poursuivant leur propre stratégie «rationnelle» surgit une structure cohérente, insensible à l'action singulière des principales entreprises de ce marché, à leur organisation interne, à leurs buts spécifiques.

En politique internationale, l'équilibre né de l'action non coordonnée des États ne tient pas au développement d'une politique concertée. Il résulte des conditions de fonctionnement du système international, c'est-à-dire de la dynamique des conflits d'intérêts entre les acteurs étatiques. Les attributs des acteurs, tels que la nature de leur régime, les conceptions de leurs élites dirigeantes, ont moins d'importance que la structure issue de leurs interactions. En fait, peu importent les orientations idéologiques des États, leurs objectifs, l'anarchie du système rendent impossible une politique commune, si impérative soit-elle. Ainsi tous les États doivent assumer des dépenses militaires, même s'il n'est pas raisonnable de mobiliser parallèlement tant de ressources improductives. Dans le domaine de la défense, comme dans celui de l'économie ou de l'environnement, la structure du système international impose aux acteurs étatiques des comportements pouvant aller à l'encontre de leurs intérêts objectifs. C'est la raison pour laquelle les États ne parviennent pas à assumer ensemble certains défis globaux auxquels ils sont confrontés dans des sphères politiques exigeant coopération et partage des ressources. Cela explique la faiblesse intrinsèque du droit international public ou des institutions intergouvernementales.

La structure permet de comprendre et d'anticiper le comportement des acteurs. Tous les États n'ont évidemment pas le même poids dans la définition des caractéristiques structurelles des relations internationales. Ces dernières sont déterminées par les grandes puissances. Car si tous les États sont formellement égaux et doivent assumer des rôles politiques analogues, ils sont très différents par leurs capacités d'accomplir les mêmes fonctions. Comme les économistes définissent le marché par l'interaction des principales entreprises (structure oligopolistique), Waltz explique la structure politique internationale par l'interaction des grandes puissances, par la configuration née de leurs rapports de force. Au temps de la guerre froide, il pensait que seuls les deux « Grands » dominaient la société internationale, et influençaient sa structure. Il refusait donc la notion de multipolarité. Les changements dans leurs rapports de force pourraient modifier un jour la structure du système, non sa nature fondée sur l'existence de grandes puissances ayant des intérêts divergents. C'est pourquoi il n'existe pas de différence significative entre les systèmes multipolaire ou bipolaire, hormis la plus grande stabilité de ce dernier.

5.3. *L'importance des hiérarchies et des facteurs idéologiques*

On admet que la configuration du rapport des forces entre les grandes puissances ne peut pas constituer la seule caractéristique structurelle d'un système international. La hiérarchie entre les acteurs à l'intérieur d'un même ensemble exprime une autre dimension de cette structure. Les systèmes sont constitués d'États d'inégale importance. On voit donc apparaître des hiérarchies diverses à l'intérieur du système, celles existant par exemple entre les États-Unis et leurs alliés au cours de la guerre froide. R. Aron a également souligné l'importance des facteurs idéologiques et culturels. Une société internationale comprenant des acteurs ayant la même vision du monde n'évoluera pas de la même manière qu'un système politique déchiré par des antagonismes idéologiques et des conceptions culturelles disparates. S. Hoffmann introduit également des considérations sur les dimensions idéologiques de la structure en affirmant avec R. Aron que les systèmes hétérogènes sont fondamentalement instables et conflictuels. On admet aussi que les institutions jouent un rôle important dans la dynamique des systèmes.

Ces différentes caractéristiques structurelles — configuration du rapport des forces, hiérarchie, homogénéité ou hétérogénéité, institutions — peuvent être distinguées pour la clarté du propos. Dans la réalité, cependant, elles sont étroitement imbriquées, et la structure comprendra des composantes militaires, politiques, économiques, idéologiques et institutionnelles difficiles à séparer. Cette difficulté conceptuelle apparaîtra en examinant les débats sur la problématique de l'hégémonie.

6. La critique du «réalisme»

6.1. Ses fondements idéologiques

Le «réalisme» a dominé depuis ses origines la théorie des relations internationales. Il continue de s'imposer dans ce domaine d'étude suivant des métamorphoses diverses. Cette perspective ne fut pas seulement académique. Elle orienta également la diplomatie américaine depuis la fin de la Seconde Guerre mondiale. G. Kennan, l'inspirateur de la politique consistant à «endiguer» la menace soviétique, se démarqua clairement de la tradition «idéaliste» américaine. Il propagea une vision des rapports internationaux s'inspirant de la géopolitique européenne. L'administration Truman dans son ensemble finit par adhérer à cette nouvelle représentation des relations internationales et depuis lors, les sphères dirigeantes américaines, à l'exception incertaine du président Carter, s'exprimèrent et s'engagèrent dans ce sens. H. Kissinger le conseiller, puis le secrétaire d'État du président Nixon, Z. Brzezinski, le proche collaborateur du président Carter, qui ont tous deux enseigné à l'université de Harvard avant d'assumer leur fonction publique, ont contribué à cette littérature académique d'inspiration «réaliste». Au début de ses *Mémoires,* dans le chapitre intitulé «Convictions d'un homme d'État», H. Kissinger montre bien que le modèle «réaliste» a guidé sa pensée et ses actions diplomatiques. On ne compte plus les essais politiques et les mémoires de diplomates ou d'hommes d'État étayant ce courant de pensée.

La plupart des ouvrages publiés dans le monde anglo-saxon sur la «théorie des relations internationales», notamment à vocation didactique, prolongèrent cette tradition doctrinale. Cette hégémonie intellectuelle du «réalisme» fut liée aux circonstances tragiques dans lesquelles est né l'effort d'analyse rigoureuse de la politique internationale : la crise des années trente, la montée des fascismes, l'expérience de Munich directement associée à la Seconde Guerre mondiale, puis les crises et conflits de la guerre froide. Elle fut déterminée aussi par son enracinement dans une longue tradition de la pensée occidentale qui plaçait l'État au centre de la politique. Le «réalisme» part encore d'un postulat incontestable : la politique est d'essence conflictuelle, parce qu'elle concerne les rapports de commandement et d'autorité, les disputes entre individus et groupes sociaux sur la répartition de ressources rares, leurs désaccords sur les valeurs, sur les conceptions du monde et le sens de l'histoire.

6.2. Des ambitions démesurées

Les défauts du «réalisme» sont liés à la démesure de ses ambitions théoriques, à sa quête d'une explication générale des relations internationales qui ne peut manquer de se résumer à la recherche d'une rationalité étatique univoque. Les concepts utilisés pour exprimer cette logique, ceux d'intérêt ou de puissance, sont insuffisants, et leur aspect polysémique exprime précisément la nature protéiforme des acteurs étatiques et de leurs finalités politiques. Or, si ces concepts ne peuvent pas trouver une expression empirique que l'on pourrait évaluer de manière rigoureuse et constante, il s'ensuit que la théorie n'est pas en mesure de prévoir le comportement des acteurs étatiques ce qui est gênant par rapport aux prétentions énoncées à ce sujet par les «réalistes». Les hypothèses qu'ils font sur l'équilibre de puissances sont de ce point de vue défectueuses. Le principe de l'équilibre ayant été une maxime de gouvernement des grandes puissances; les «réalistes» y voient une loi de gravitation politique à vocation universelle. En fait, comme l'a bien remarqué A. Giddens dans *Nation-State and Violence* (1985), l'équilibre en question représentait moins l'expression d'un rapport de forces objectif qu'une justification de la politique poursuivie par les grandes puissances. En outre, cette quête de l'équilibre ne fut pas constante : Napoléon, Bismarck, Guillaume II, Hitler, Staline, ou Roosevelt ont poursuivi, chacun à sa manière, des objectifs politiques qui n'étaient pas ceux de l'équilibre des puissances.

6.3. Des propositions trop générales

Le structuralisme des «réalistes» constitue, certes, un cadre d'interprétation plausible, mais de faible portée théorique. Il aboutit en fin de compte à une proposition générale sur le caractère inéluctable de l'équilibre entre grandes puissances, et à quelques considérations sur les différences de fonctionnement entre les systèmes multipolaire et bipolaire. L'hypothèse d'une loi d'équilibre dans les relations internationales n'est pas absurde, car il est vraisemblable qu'une puissance ou un groupe de puissances menaçantes entraînent des coalitions adverses. On ne peut pas en déduire pour autant que cette loi puisse fonctionner dans toutes les circonstances. On ne peut pas dégager la structure du système international de manière abstraite sans définir son principe d'organisation. Les réalistes se contentent à cet égard de rappeler le principe de la souveraineté nationale. C'est insuffisant. La bipolarité marquée par la dissuasion nucléaire n'a pas suivie la même logique que l'équilibre des puissances auquel s'attachaient les chancelleries européennes avant 1914. La Seconde Guerre mondiale a engendré un monde tellement différent dans son principe et sa structure qu'il semble aléatoire de le saisir à partir des conceptions politiques issues du XIXe siècle. On peut en effet douter que l'équilibre Est-Ouest de la guerre froide soit comparable à celui instauré par le congrès de Vienne et que les notions de bipolarité ou de multipolarité puissent éclairer des univers politiques et stratégiques aussi différents. En fait, «l'équilibre bipolaire» entre les États-Unis et l'URSS au cours de la guerre froide était une métaphore exprimant la réalité de la dissuasion nucléaire. Or, cette relation stratégique fondée sur la terreur atomique n'était pas réductible à un phénomène d'équilibre.

Pour que la loi de l'équilibre soit valable, il faudrait, comme le reconnaît H. Bull, que les principaux acteurs du système choisissent de consacrer toutes leurs ressources à la maximisation de leur puissance stratégique. En réalité, ils peuvent parfaitement poursuivre d'autres objectifs, notamment la prospérité économique, la stabilité politique, l'harmonie sociale. H. Bull reconnaît avec raison que l'équilibre des puissances est d'autant plus difficile à dégager que la politique internationale se joue «sur plusieurs échiquiers». Il faut dès lors admettre une certaine diversité d'équilibres en fonction de réalités politiques composites, changeantes, complexes. Hoffmann reconnaît aussi l'existence d'une «dimension fonctionnelle» aux relations internationales, exigeant le développement de rapports de coopération utilitaires, fondés sur des bénéfices mutuels.

6.4. *Un systémisme tronqué*

Waltz a tenté de démontrer que la configuration du rapport des forces entre les grandes puissances permettait d'anticiper le comportement des acteurs internationaux. Mais l'analogie qu'il établit entre la politique internationale et le fonctionnement du marché est trompeuse. En économie, le postulat utilitaire permet de construire des modèles économétriques éclairant certains aspects de la réalité. En revanche, les hypothèses utilitaristes, dont les fondements idéologiques sont pour le moins contestables, affaiblissent beaucoup la compréhension de la sphère politique. Dans ce domaine, en effet, la grande diversité des valeurs, des intérêts, des visions du monde et des ambitions, rend impossible l'affirmation d'une rationalité équivoque. Les États poursuivent des objectifs qui ne sont pas réductibles à la logique du profit des entreprises. C'est également pour cette raison que toute théorie fondée sur le postulat d'un comportement rationnel des acteurs étatiques est d'un faible secours pour anticiper la dynamique des relations internationales. Une chose est de comprendre la logique d'une politique étrangère ou d'une orientation stratégique en reconstruisant sa rationalité singulière à partir d'une démarche historique, autre chose est de construire une théorie des interactions entre États sur le postulat d'intérêts nationaux réductibles à la satisfaction de besoins politiques analogues. En négligeant les facteurs de politique interne dans l'analyse des caractéristiques structurelles du système, en ignorant l'hétérogénéité idéologique et culturelle de notre planète, en se concentrant sur l'analyse des rapports de force entre les grandes puissances, Waltz a proposé une théorie incapable de rendre compte des transformations entraînées par l'effondrement de l'empire soviétique.

Enfin, si les «réalistes» ont raison de placer l'État au centre des relations internationales, ils négligent à tort le rôle des autres acteurs politiques, notamment celui des organisations intergouvernementales et des entreprises transnationales, des mouvements politiques qui déploient une action à l'échelle régionale ou mondiale. Les réalistes ont une conception politique d'ancien régime. Ils n'ont pas pris la mesure des transformations de l'État après la Seconde Guerre mondiale, transformations qui sont liées à des changements dans les finalités que les sociétés assignent à leur devenir. L'État moderne ne doit pas seulement assurer la défense des frontières mais la sécurité sociale et ce projet a modifié en profondeur la nature des relations internationales, d'autant que les armes de terreur ont beaucoup diminué l'attrait de la guerre comme instrument pour réaliser les objectifs politiques de ses sphères dirigeantes.

7. La géopolitique

La politique internationale a pour théâtre un espace planétaire, mais elle est caractérisée par la fragmentation de cette sphère en États qui affirment chacun leur souveraineté sur un domaine territorial particulier. Elle trouve sa représentation schématique dans les images coloriées des cartes géographiques illustrant la division des frontières entre les États. Les conflits internationaux ont souvent pour enjeu des territoires. La géographie concerne donc l'étude des relations internationales, puisqu'elle a aussi pour objet l'analyse des rapports entre la politique et l'espace. Certains auteurs en tirent des conclusions hâtives et confondent l'étude des relations internationales avec celle de la géopolitique ou de la géostratégie, comme si tout s'expliquait dans l'analyse des rapports entre l'espace et les hommes.

La géopolitique a exercé une certaine emprise sur l'étude des relations internationales depuis la fin du XIXᵉ siècle. Les traités de géopolitique, ceux de H. Mackinder, de K. Haushaufer, de F. Ratzel, de R. Kjellen, de N. Spykman ou de Mahan, les aphorismes qu'ils ont lancés pour expliquer les relations entre les nations terrestres et maritimes ont trouvé une certaine audience dans les états-majors et les milieux politiques des grandes puissances. À ce titre, ils ont sans doute influencé le cours de la politique mondiale en offrant une base «scientifique» aux ambitions des dirigeants allemands, anglais et américains. Après la Seconde Guerre mondiale, la stratégie américaine de l'«endiguement» de l'expansion soviétique a continué de subir l'empreinte de cette idéologie. Cette dernière fait un retour en force en France, notamment dans le discours des personnalités politiques, sans parvenir toutefois à convaincre qu'elle puisse offrir un cadre conceptuel éclairant de manière spécifique l'étude des relations internationales.

Le langage courant vulgarise cette perspective géopolitique. On doit certes abandonner la notion de conflit Est-Ouest avec la fin de la guerre froide, mais on parle encore volontiers de rapports Nord-Sud pour caractériser des clivages politiques et idéologiques qui trouvent leur représentation approximative dans des polarisations géographiques entre les deux hémisphères de la planète. En réalité, la notion de rapport Nord-Sud est une métaphore, qui donne une image tronquée des polarisations économiques et sociales entre les pays riches et les autres, ceux qui font le plus souvent partie de l'Afrique, de l'Asie et de l'Amérique latine. Si les frontières de la pauvreté dans le monde ressemblent à cette division entre le Nord et le Sud de la planète, il faut cependant admettre que le Japon, l'Australie, la Nouvelle-Zélande et les nouveaux pays industrialisés de l'Asie échappent aux critères de cette classification. Par ailleurs, la situation économique et sociale de l'ancien Empire soviétique n'est pas sans analogie avec celle prévalant en certains pays du Sud.

Plus grave, cette notion exprime en termes géographiques des clivages économiques, sociaux et culturels qui ne trouvent par leur seule explication dans l'analyse des différences de milieu naturel. La richesse ou la pauvreté des nations ne sont pas déterminées par la géographie, mais par les rapports que les hommes entretiennent avec leur environnement naturel et social. Les pays producteurs de pétrole ont des ressources naturelles expliquant leur richesse et souvent leur influence sur la scène internationale, mais la Suisse est également prospère alors qu'elle est sans ressources minières ou pétrolières.

Certes, il serait absurde de nier l'importance du milieu naturel sur la politique internationale. La position géographique des États peut leur conférer d'importants avantages stratégiques. L'histoire de la Grande-Bretagne, de ses relations avec l'Europe et le monde, fut conditionnée par sa situation insulaire. Les États-Unis ont beaucoup profité d'un immense territoire, riche en ressources naturelles, protégé par les mers. Au contraire, la Pologne ou la Russie furent traditionnellement vulnérables aux invasions extérieures. Après la Seconde Guerre mondiale, les deux grandes puissances ont effectivement modelé par leurs interactions conflictuelles l'ordre établi dans les pays industrialisés, comme le montrent les systèmes d'alliances, la difficulté d'y échapper, l'imbrication des sphères économique et politiques des pays faisant partie de ces alliances. Or, la division de l'Europe se situa au point de rencontre des armées alliées en 1944-1945, et cette séparation fut longtemps maintenue par un «rideau de fer» entre les pays de l'Alliance atlantique et ceux du pacte de Varsovie, et surtout par la présence de forces de l'armée Rouge en Pologne, en RDA, en Tchécoslovaquie, en Hongrie, en Roumanie et en Bulgarie, autant de pays qui bordaient à des degrés divers l'Empire soviétique.

Dans les pays du tiers-monde, ces contraintes ont également joué, en particulier dans les régions importantes du point de vue géostratégique, comme la Corée, les Philippines, ou les pays de l'Amérique centrale. En revanche, elles n'ont pas empêché le Viêt-nam d'échapper à l'emprise occidentale, grâce, il est vrai, à l'appui de l'URSS et de la Chine. Le cas de Cuba est également significatif, puisque son processus révolutionnaire lui permit de sortir de la zone d'influence américaine, ici encore avec l'appui de l'URSS.

L'unification de l'Allemagne, ou le processus d'intégration européenne, sont des événements politiques affectant l'espace géographique. Mais en qualifiant ces processus de changement «géopolitique», on adopte implicitement un cadre de référence fondant la puissance de l'État sur la population, l'espace, les ressources économiques, ce qui est une vision partielle et désuète de la puissance. L'espace ne commande pas l'histoire. En politique, les structures géographiques permettent en certaines circonstances d'anticiper le comportement rationnel des acteurs, non de le prévoir. Aucune structure n'est absolument contraignante, les individus, les mouvements politiques ou les gouvernements pouvant toujours prendre le parti de contester l'ordre en vigueur pour le modifier. En l'occurrence, le développement accéléré des techniques de transports, des communications, les progrès des systèmes d'armement ont radicalement modifié les rapports entre les hommes et l'espace. Et si l'environnement de la planète devient une source de préoccupation politique majeure, si l'épuisement des ressources naturelles et les ravages de la pollution sont un enjeu stratégique pour tous les États, ce n'est pas une raison pour enfermer l'analyse de cette problématique dans le cadre étroit de la «géopolitique».

Chapitre 3
Les théories des conflits

La guerre est un phénomène récurrent de la politique internationale. Pour les auteurs «réalistes», nous l'avons vu, elle constitue une virtualité permanente des rapports entre États, puisqu'il n'existe pas d'autorité capable d'arbitrer les conflits, et de sanctionner la violation des normes. Les États doivent en conséquence s'y préparer, afin de convaincre leurs adversaires potentiels de leur puissance militaire. Lorsqu'ils sont contraints d'en assumer les exigences cruelles, ils s'efforcent aussi de conduire une stratégie leur permettant d'économiser au maximum leurs ressources humaines et matérielles.

Peut-on expliquer les causes des guerres et comprendre leur déroulement ? C'est l'ambition de toute théorie des relations internationales. Les tentatives d'explication des conflits qui mettent en avant une variable déterminante, ou un ensemble de variables, ne manquent pas. Elles peuvent privilégier plusieurs niveaux d'analyse, en particulier ceux de l'individu, de l'État ou du système international. Ces différentes perspectives théoriques ne sont pas exclusives les unes des autres, mais d'ordinaire les chercheurs ne partagent ni le même cadre conceptuel, ni la même définition des facteurs qu'ils prennent en compte dans l'explication des guerres.

1. L'individu

En se concentrant sur le premier niveau, celui de l'individu, on peut associer la violence et les guerres aux imperfections de la nature humaine. C'est l'explication générale qui a prévalu dans la pensée d'inspiration judéo-chrétienne, articulée autour du mythe du péché originel. Cette conception a trouvé une forme contemporaine dans le pessimisme historique des «réalistes». Elle s'exprime aussi en d'autres versants des sciences sociales. Sigmund Freud, par exemple, dans les ouvrages qu'il rédige après la Première Guerre mondiale, notamment *Malaise dans la civilisation ou l'Avenir d'une illusion,* se montre très sceptique quant à la capacité des hommes de dompter leurs pulsions agressives et de maîtriser une force qu'il associe à une «pulsion de mort». Les découvertes de Freud sur l'inconscient, l'apport de ses disciples, ont bouleversé les sciences humaines au XXe siècle, donnant une nouvelle base scientifique au déchiffrement des productions de l'imaginaire individuel et collectif. Eugène Enriquez a poursuivi cette démarche dans un ouvrage intitulée *De la horde à l'État. Essai de psychanalyse du lien social* (Paris, Gallimard, 1983). Konrad Lorenz a proposé dans un ouvrage intitulé *De l'Agression* (1963) une explication éthologique des conflits. Ces théories ne prétendent pas donner une explication générale de toutes les guerres, mais se proposent d'éclairer le fond intrapsychique ou instinctif sur lequel repose la mobilisation des passions belliqueuses.

1.1. *La psychologie des hommes d'État*

Du général au particulier, la figure de certains hommes politiques prend une place décisive dans le déclenchement ou l'évolution de certaines guerres. Napoléon a marqué le destin de l'Europe. Hitler planifie et détermine le déclenchement de la Seconde Guerre mondiale. Churchill, Staline et Roosevelt exercent une influence décisive sur les grandes décisions stratégiques de la Seconde Guerre mondiale. Plus récemment Saddam Hussein a joué un rôle éminent dans la stratégie belliqueuse de l'Irak. Peut-on dépasser les considérations générales sur le rôle de la personnalité dans l'histoire et trouver dans la psychologie individuelle des hommes d'État l'explication de certains conflits internationaux ?

La tentative de dégager le profil psychologique des personnalités politiques pour comprendre leurs décisions, pour les anticiper éventuellement, reste hasardeuse, surtout si l'on cherche à dépasser les explications du sens commun. Les démarches fondées sur les typologies du caractère sont d'un faible secours car elles proposent des analyses trop simples du fonctionnement de la personnalité. Plus fécondes seraient en principe les démarches d'inspiration psychanalytique. Harold Lasswell s'était engagé dans ce genre de recherche dans les années trente. Peu après la Seconde Guerre mondiale, Adorno et une équipe de chercheurs ont tenté de dégager le profil des «personnalités autoritaires» dans un ouvrage fameux *La personnalité autoritaire* (Gallimard, 1950) visant en fait à expliquer la nature de l'antisémitisme.

1.2. *Une méthodologie inadéquate*

Cependant, l'application de la psychanalyse en dehors de son cadre thérapeutique donne rarement de bons résultats. Les données biographiques les plus élémentaires font défaut lorsqu'il s'agit de reconstruire le développement émotionnel d'une personnalité politique. La plupart des biographies sont d'une singulière indigence à cet égard, et les témoignages qu'elles parviennent à recueillir sur l'enfance et l'adolescence des hommes d'État ne donnent généralement pas prise à une explication rigoureuse du point de vue psychanalytique. Les manifestations protéiformes de l'inconscient obligent celui qui procède de cette démarche à recourir à des procédures de validation très complexes. Son interprétation, par définition, ne peut être confirmée par la réponse du sujet étudié, ce qui amenuise sa portée. Dans le cas des hommes d'État, il est difficile de dissocier les personnages du rôle que leur impose la fonction publique qu'ils assument. Ainsi, le recours à l'analyse des thèmes spécifiques de leur discours, des métaphores et des associations qui lui sont propres n'est pas toujours significatif du point de vue de l'interprétation, car ces images et ces figures de style peuvent être dictées par la demande sociale, donc par des exigences d'opportunité politique. Ainsi, le racisme et la xénophobie d'un homme politique peuvent correspondre à sa fragilité psychique, mais également à ses ambitions électorales. Enfin, la psychanalyse montre que les barrières ne sont pas toujours définies entre le normal et le pathologique, ce qui ne facilite pas l'explication des processus de décision. À titre d'exemple, le suicide de James Forrestal en 1949, alors ministre de la Défense des États-Unis, constitue un épisode maniaco-dépressif expliquant certains aspects de son projet idéologique et de son comportement politique antérieur. Arnold Rogow a montré, dans *Victim of Duty. A Study of James Forrestal* (Londres, 1966), les liens entre sa fragilité psychique et la vigueur de son anti-communisme. Son insécurité personnelle, conséquence des manques affectifs dont il avait souffert durant son enfance, se traduisait par des habitudes de travail compulsives et des problèmes relationnels. Ces traits de personnalité éclairent en partie les positions intransigeantes qu'il a assumées au cours de la guerre froide. Toutefois, les symptômes pathologiques d'un homme épuisé n'expliquent pas l'ensemble d'une carrière politique et Rogow l'a bien compris en refusant d'établir une corrélation simple entre la maladie de Forrestal et ses attitudes politiques. Le ministre de la Défense n'a adopté aucune position manifestant l'empreinte évidente de troubles psychiques, sinon vers la fin de sa vie, au moment où les symptômes de la maladie sont apparus clairement. Autre exemple, celui de Churchill. Il traversait épisodiquement des phases de dépression, qu'il appelait « son chien noir ». Qui n'en a pas, sans avoir le génie de l'ancien Premier ministre britannique ! Staline manifesta tout au long de sa carrière des traits paranoïaques évidents, dont l'origine est obscure. Ces caractéristiques ont certainement exercé une influence sur les origines de la guerre froide. Et pourtant il fit preuve à plusieurs reprises d'une grande intelligence politique et stratégique, dont nombre de diplomates et hommes politiques occidentaux portèrent témoignage.

2. L'État

En privilégiant le niveau de l'État dans l'explication des guerres, le chercheur s'efforce de dégager les fondements structurels ou les caractéristiques conjoncturelles des politiques étrangères belliqueuses. Des études américaines se sont employées à établir des corrélations entre certains attributs d'un acteur étatique, par exemple la stabilité de son régime intérieur, et sa propension à l'agression, ou des variables plus disparates telles que son niveau d'industrialisation, sa courbe démographique et les guerres qu'il entreprend. Ces recherches sont le plus souvent fondées sur un axiome de la pensée libérale : les régimes constitutionnels, pluralistes et développés sont moins portés à faire la guerre que les dictatures. Récemment, plusieurs chercheurs américains ont cherché à montrer la corrélation positive entre la démocratie et la paix, reprenant une proposition qui avait été au cœur de l'ouvrage de Kant sur *La Paix perpétuelle*. En se fondant sur des données remontant au XIXe siècle, ils affirment que les démocraties ne se font pas ou très rarement la guerre (Bruce Russett, *Grasping the Democratic Peace*, 1993). Reste à donner une explication de cette constatation. Kant soulignait déjà que les États dans lesquels le consentement des citoyens était requis pour entreprendre la guerre étaient de nature pacifique. Russett considère que le phénomène de la « paix démocratique » est fondée sur les normes et les institutions. Les démocraties ont des systèmes de valeur et des mécanismes institutionnels qui favorisent la résolution pacifique des conflits entre les groupes porteurs d'intérêts opposés. L'expansion des régimes démocratiques, si elles se confirmait, engendrerait une transformation fondamental du système international. Il n'est pas rare en effet que les États adoptent des projets nationalistes agressifs pour renforcer leur unité intérieure et consolider l'autorité de leur régime. En 1982, la junte argentine s'engage dans la guerre des Malouines (Falkland) pour masquer ses échecs économiques et ses contradictions internes. Au Moyen-Orient, le conflit israélo-arabe a été entretenu par cette logique. On peut repérer de nombreux cas confirmant ce genre de corrélation, sans parvenir à fonder sur ces enquêtes une théorie rigoureuse. Il existe également au sein des grandes puissances un ensemble de forces économiques et politiques directement intéressées au développement de la course aux armements et qui encouragent en conséquence des orientations de politique étrangère agressives.

En manifestant des corrélations entre des attributs d'un État et son recours à la guerre, on n'établit pas nécessairement la cause du conflit en question, encore moins celle d'autres situations de violence analogues. En outre, l'énoncé d'une liste de facteurs entrant en jeu dans le déclenchement d'un conflit ne permet pas toujours de comprendre l'articulation de leurs liens, leur poids respectif dans une situation historique donnée. Par ailleurs, en proposant une liste de facteurs décisifs dans le déclenchement d'une guerre, on peut proposer la théorie d'un conflit spécifique, non celle des guerres.

2.1. *La décision*

L'analyse des processus de décision gouvernementale, centrée sur l'étude des crises, constitue un domaine privilégié de l'étude des relations internationales, car elle met en lumière le comportement des acteurs étatiques dans cette zone imprécise entre la politique et la stratégie, entre la diplomatie et la guerre. Les crises entre grandes puissances pendant la guerre froide furent généralement différentes de celles qui les ont précédées par la nature de leurs enjeux, et par la rapidité de leur dénouement. Dans ces situations, les choix des gouvernements furent limités. Ils procédèrent en fin de compte de décisions individuelles, celles de chefs d'État, donnant ainsi une certaine plausibilité à l'idéal-type de l'acteur étatique, qui est un des modèles du paradigme «réaliste». Le rôle de l'individu dans les études sur la décision fut toutefois analysé dans son contexte politico-administratif.

La première étape de la recherche consiste à déterminer quels furent les principaux acteurs du processus de décision, puis à circonscrire leur rôle respectif. Dans les situations de crise, les «décideurs» sont peu nombreux. Les chefs d'État ou de gouvernement s'entourent de leurs conseillers. Ces derniers sont en principe issus des hautes sphères dirigeantes : ministres de la Défense, de l'Intérieur, chefs des armées, du renseignement. Aux États-Unis, les présidents peuvent s'appuyer depuis 1947 sur un Conseil national de sécurité, composé des principaux responsables des organismes concernés par les questions de sécurité. Malgré ce dispositif, ils ont généralement préféré gérer les crises de la guerre froide à l'aide de leurs conseillers personnels, n'appartenant pas nécessairement au Conseil national de sécurité. Ces conseillers sont chargés de rassembler les éléments pertinents de la situation internationale, de les analyser, de formuler des propositions d'action politique et stratégique. Pour ce faire, ils peuvent bénéficier des informations et des analyses de nombreux organismes gouvernementaux.

On analyse ensuite le choix politique et stratégique de ces décideurs en reconstituant leur vision du monde, les expériences historiques et sociales ayant marqué leurs conceptions politiques, leur image de l'adversaire et de ses calculs, les caractéristiques marquant leur style de commandement, les différentes options qui leur sont ouvertes, les facteurs aléatoires ayant influencé le processus de décision. Cette démarche est classique; elle reflète l'«individualisme méthodologique» des sociologues ou des historiens de tradition webérienne.

2.2. Les facteurs cognitifs

Dans *Perception and Misperception in International Politics* (1976), Robert Jervis s'est employé à reconnaître les facteurs cognitifs qui influencent les processus de décision, au-delà des variables émotionnelles. Selon lui, les «décideurs» assimilent et ordonnent les informations qu'ils reçoivent en fonction d'un cadre conceptuel plus ou moins élaboré qui régit leurs perceptions du monde extérieur. Ils tendent ainsi à négliger tout élément d'information contredisant leur système de valeur et l'image qu'ils ont de leur adversaire. Ce facteur cognitif peut expliquer la constance des politiques étrangères, les sphères dirigeantes agissant en fonction de systèmes cognitifs relativement stables. Il permet aussi de comprendre certaines décisions allant à l'encontre d'informations convergentes suggérant une orientation différente. Le commandant de la base de Pearl Harbour en 1941, par exemple, disposait des éléments d'information lui permettant de disperser sa flotte avant l'attaque fatidique. Mais il les a interprétés en fonction de son propre système de référence comme annonçant une attaque japonaise sur des bases britanniques et hollandaises. Réciproquement, lorsque les informations que les décideurs reçoivent sont en contradiction avec les orientations de leur politique, ils auront tendance à réduire cette «dissonance cognitive» en réélaborant leur cadre conceptuel pour justifier les actions qu'ils ont entreprises.

2.3. La bureaucratie et les dissensions internes

Les processus de décision sont encore affectés par la diversité des administrations concernées par les questions de politique étrangère. Les États modernes sont un conglomérat d'administrations qui agissent selon leurs propres procédures et de manière souvent indépendante. Les décisions des hauts responsables sont donc déterminées par le mode de fonctionnement de ces organismes. C'est principalement à travers eux qu'ils façonnent leur image de la situation conflictuelle, et déterminent les options qu'ils peuvent prendre. Comme toute bureaucratie, ces administrations sont routinières. En conséquence, les incohérences d'une diplomatie ou d'une stratégie sont souvent le résultat des objectifs contradictoires des hauts responsables gouvernementaux. Lorsque l'on examine la politique de la Grande-Bretagne au Moyen-Orient pendant la Première Guerre mondiale, période tellement décisive pour l'évolution de cette région au cours du XXᵉ siècle, on ne peut manquer d'être frappé par l'effet des divergences de stratégie entre le ministère des Affaires étrangères (*Foreign Office*), le ministère de la Défense (*War Office*), le ministère chargé des Affaires de l'Inde et des colonies (*Indian Office*). Aujourd'hui, tous les gouvernements éprouvent de la peine à coordonner les positions adoptées par leurs représentants au sein des organisations internationales, ou dans le cadre des négociations multilatérales. Ces problèmes de coordination, la diversité des modes de fonctionnement bureaucratique, deviennent aigus dans les situations de crise.

Dans son étude classique sur la crise de Cuba, intitulée *The Essence of Decision* (Boston, 1971), Graham Allison a utilisé la théorie des organisations complexes pour montrer combien les processus de décision pouvaient être affectés par les phénomènes bureaucratiques. Les décisions gouvernementales sont considérées dans cette perspective comme les produits d'organisations mal coordonnées et souvent en compétition. Confrontées à une crise, elles vont donner des informations, proposer des analyses et des actions conformes à celles qu'elles ont déjà produites lors de situations antérieures analogues. Elles auront de la peine à innover. Elles auront aussi tendance à réagir en fonction de leurs propres priorités bureaucratiques. Ces routines sont manifestes dans les procédures opérationnelles des états-majors. Au cours de la crise de Cuba, le déploiement des fusées soviétiques suit des modalités contradictoires : les missiles sont transportés dans le plus grand secret, alors que les sites de lancement ne sont pas camouflés, ni défendus. L'analyse montre que les diverses étapes de la mise en place de ces fusées furent confiées à des organismes différents. Du côté américain, la décision du blocus prise par le président Kennedy fut conditionnée par les réponses que la CIA et l'armée de l'air ont données à la solution du problème posé par l'évolution de la situation militaire et l'éventualité d'une riposte soviétique. Or, les scénarios prévus par ces organismes étaient inadaptés aux conditions spécifiques de cette crise.

Les processus de décision ne sont pas seulement affectés par les routines bureaucratiques, mais également par la compétition politique existant, de manière ouverte ou larvée, entre les principaux responsables gouvernementaux. En d'autres termes, le choix des objectifs et des moyens de les atteindre ne suit pas la logique d'une analyse rationnelle, mais est constamment influencé par des considérations de politique intérieure, des oppositions entre groupes de pression, des rivalités entre hauts responsables.

2.4. *L'illusion groupale*

Dans la mesure où les décisions prises en temps de crise sont produites par un nombre restreint de personnes, les phénomènes de distorsion à l'œuvre dans la dynamique des groupes restreints devraient s'y manifester. Les groupes ont des modes de fonctionnement particuliers les poussant à exclure de leur sein ceux qui dérangent leur cohésion. Ils tendent à développer des images stéréotypées de leur environnement, notamment des personnes extérieures au groupe, à se trouver des boucs émissaires pour maintenir la cohésion groupale et à développer des sentiments d'invulnérabilité. Irving Janis dans *Victims of Groupthink* (Boston, 1972) s'est efforcé d'appliquer ce modèle à l'analyse de certains épisodes de la politique extérieure américaine, en particulier la décision d'intervenir militairement contre le régime de Castro en 1961 ou celles qui ont déterminé l'escalade de la guerre du Viêt-nam. Il a montré qu'en plusieurs circonstances l'«illusion groupale» avait induit en erreur les sphères dirigeantes américaines, conduisant le président et ses proches conseillers à limiter le choix de leurs options possibles, à ne retenir de l'avis des experts extérieurs que les éléments d'information confortant leur point de vue, à isoler, puis exclure l'avis de membres dissidents du groupe, à refuser de reconsidérer les décisions prises initialement, même lorsque la situation évoluait beaucoup.

3. Le niveau international

3.1. *La structure*

L'analyse des guerres peut, enfin, prendre en compte la structure née des interactions entre les principaux acteurs internationaux. C'est la démarche inspirée par l'analyse systémique que nous avons examinée au chapitre précédent. On prend notamment en compte le nombre de grandes puissances, leur rapport de forces militaires, la nature des technologies militaires. Les grandes puissances dans la structure bipolaire orientent toutes leurs actions de politique étrangère en fonction de leur hostilité mutuelle. Robert Gilpin, dans *War and Change in World Politics* (Cambridge, 1981), s'est efforcé de montrer que les guerres livrées par les grandes puissances surgissent d'une modification du rapport de force au sein d'une structure hégémonique. Ces conflits montent aux extrêmes parce qu'ils ont pour enjeu la domination du système international.

3.2. *La course aux armements*

Dans l'intention de produire une théorie mathématique de la course aux armements, L. F. Richardson, dans *Arms and Insecurity* (Pittsburg, 1960), a voulu montrer par ailleurs les liens qui existent entre la spirale de la course aux armements, inhérente à la dynamique d'un processus action-réaction entre les grandes puissances et la guerre. Il a considéré que la course aux armements navals entre l'Angleterre et l'Allemagne était une des causes majeures de la Première Guerre mondiale. Ainsi, l'accumulation d'armes de part et d'autre devient un facteur contribuant au déclenchement du conflit. Cette hypothèse, qui néglige les facteurs politiques déterminant cette course aux armements, a inspiré toute une partie de la littérature portant sur le « contrôle des armements ».

3.3. *Des rationalités antagonistes*

La théorie des jeux fait apparaître de son côté que des acteurs indépendants poursuivant des intérêts communs et inspirés par la même logique rationnelle adoptent des comportements qui rendent impossible la coopération optimale entre eux. Le modèle le plus connu dans cette perspective est celui du « dilemme du prisonnier ». La police arrête deux hommes, Alf et Bert, et peut prouver qu'ils ont volé. Elle pense qu'ils ont également commis un crime, mais ne peut pas le prouver sans aveu. Le magistrat instructeur leur offre de coopérer. Si Alf accepte, il obtiendra une remise de peine et ne fera que trois mois de prison, tandis que Bert sera condamné à vie. Bert peut adopter la même stratégie. Si tous les deux avouent le vol, sans confesser le crime, ils peuvent s'en tirer avec deux ans de prison chacun. Si tous les deux avouent le crime, ils auront chacun seulement dix ans de prison pour avoir coopéré. Alf et Bert sont placés dans deux cellules séparées et n'ont donc aucune possibilité d'adopter une stratégie commune. Alf se dit que si Bert avoue, il a avantage à faire de même, et que s'il n'avoue pas, il a également avantage à coopérer avec le magistrat. Bert fait le même raisonnement. Ils reçoivent chacun dix ans de prison, alors qu'ils auraient pu n'en avoir que deux ans en adoptant une stratégie commune. Transposé au niveau de la course aux armements, ce modèle d'interaction montre que les deux grandes puissances ont avantage à rompre les engagements qu'elles ont pris en matière de contrôle d'armements. Il montre qu'il est impossible de coopérer en milieu anarchique. On peut le compliquer en élargissant le nombre des joueurs, et aussi en introduisant dans le jeu l'histoire de plusieurs parties. Axelrod s'est efforcé de prouver que lorsque le nombre des parties n'est pas connu d'avance, l'alternance de la coopération et de la vengeance entre les joueurs modifie le dilemme initial.

3.4. *L'analyse corrélationnelle*

Au début des années soixante, David Singer a lancé un projet de recherche de grande ampleur pour tenter d'analyser empiriquement les corrélations observables entre les guerres qui ont éclaté depuis 1815 et des données telles que les systèmes d'alliances, les relations diplomatiques entre les États impliqués dans ces conflits, le nombre d'organisations internationales dont ils faisaient partie ou les ressources démographiques, économiques et militaires des principales puissances impliquées dans ces conflits. Dans le prolongement de cette perspective, certains politologues ont tenté d'établir des corrélations entre la polarisation du système international ou les dépenses d'armements et les guerres. Lorsque l'on pose de mauvaises questions, on reçoit de mauvaises réponses. En l'occurrence, cette recherche, qui a duré des décennies, n'est arrivée qu'à ces modestes conclusions :
- la plupart des guerres ont commencé au printemps ou en automne ;
- les États connaissant des désordres intérieurs recourent souvent à la guerre ;
- la guerre est plus probable lorsque le système est soit très polarisé, soit très faiblement polarisé ;
- en s'alliant ou en ayant une frontière commune avec un État belliqueux, les grandes puissances ont de fortes chances d'être impliquées dans des guerres.

3.5. *Les fondements économiques et sociaux des guerres*

De son côté, le sociologue français Gaston Bouthoul s'est employé à construire une «polémologie» qui tend à mettre à jour les causes sociales et systémiques propices au déclenchement des guerres. Parmi ces facteurs «belligènes», il accorde une place privilégiée à la démographie. La pression du nombre crée une instabilité dans le système international, qui trouve son échappatoire dans la guerre. La guerre devient en somme un «infanticide différé». Elle a une fonction analogue à celle de la maladie dans le fonctionnement biologique de l'être humain : elle exprime un déséquilibre organique.

Comme on le voit, il existe une grande diversité d'approches dans l'analyse des conflits internationaux. En affirmant les rapports étroits que la guerre entretient avec la politique, on s'interdit la quête d'une théorie générale de la guerre, mais non les explications conjoncturelles ou les théories partielles éclairant les origines d'un conflit spécifique. Malheureusement, la plupart des théories des conflits privilégient un seul type de variable, ce qui est manifestement insatisfaisant. En définitive, il n'existe pas à ce jour de théorie pouvant expliquer la récurrence des guerres, et toute tentative pour passer de l'analyse historique à une théorie sociologique capable de définir les éventuelles causes communes des conflits belliqueux ont échoué.

Les Nations unies et leurs institutions spécialisées n'ont cessé de souligner les fondements économiques des conflits et des guerres, reproduisant des considérations doctrinales qui font partie autant des traditions libérales que socialistes. En 1992, dans le cadre de l'*Agenda pour la paix* qu'il produisait à la demande du Conseil de sécurité, le secrétaire général des Nations unies, M. Boutros Boutros-Ghali, réitérant l'un des postulats de la Charte, désignait la misère économique et l'injustice sociale parmi les «causes les plus profondes» des conflits. Cette théorie des conflits est sans doute plus frustre. Elle est toutefois au fondement des institutions internationales contemporaines. Aucune proposition n'a été aussi souvent réaffirmée au sein des Nations unies que celle affirmant le lien entre la paix internationale et le développement économique et social.

Les régions les plus troublées de la planète, en Afrique et en Asie notamment, marquées par des régimes dictatoriaux, des coups d'États récurrents, des guerres civiles, des affrontements ethniques, des mouvements de réfugiés, des génocides parfois, par des enchaînements d'événements qui forment la trame de grandes tragédies politiques et humanitaires de notre temps, sont généralement caractérisées par une grande pauvreté matérielle. Elles ne jouent pour ainsi dire aucun rôle dans l'économie internationale, participant peu aux échanges commerciaux et ne bénéficiant guère des flux d'investissements. Dans ces circonstances, la paix civile est un idéal hors d'atteinte. Le partage des ressources économiques prend souvent la forme d'une activité guerrière dans laquelle l'État et son administration deviennent partie intégrante du butin. Rien d'étonnant aussi que les désordres politiques et la corruption fassent fuir les investisseurs et parfois même l'aide étrangère. Les grandes explosions de violence ont éclaté récemment dans une période caractérisée par l'approfondissement de la crise économique, la rigueur et l'échec des plans d'ajustement structurels des institutions financières internationales, la diminution des aides extérieures.

Chapitre 4

Les études stratégiques

Si la théorie générale des guerres est une illusion, peut-on espérer mieux comprendre les rapports que les guerres entretiennent avec la politique et découvrir certaines lois entraînant leur déroulement ? C'est l'ambition des études stratégiques. Dans une époque marquée par les armes de terreur, le risque de guerre est devenu une menace particulièrement sérieuse. Il n'est donc pas étonnant que ces études stratégiques se soient détachées au cours de l'époque contemporaine comme un domaine particulier des relations internationales, et qu'elles aient suscité une vaste littérature. De nombreux centres académiques ou institutions de recherche s'y consacrent entièrement, les plus connus en Europe étant l'Institut d'études stratégiques de Londres et l'Institut international de Stockholm de recherche sur la paix (SIPRI).

La stratégie concerne l'évolution des armées sur un théâtre d'opérations avant le contact avec l'ennemi, alors que la notion de tactique recouvre l'application locale des plans de la stratégie, l'exécution du mouvement des combattants en fonction des circonstances. Dans un sens plus large, la stratégie est définie aussi comme l'art de poursuivre des objectifs politiques par l'utilisation de moyens militaires, ou par la menace d'y recourir. On se réfère parfois à la notion de « grande stratégie » pour englober les ressources non militaires qui sont utilisées dans la poursuite d'une politique.

1. Carl Von Clausewitz

La pensée stratégique contemporaine reste dominée par la figure de Clausewitz. Ce militaire prussien, engagé dans la tourmente des guerres napoléoniennes, est l'un des premiers théoriciens de la guerre moderne incontestablement le plus grand, celui qui annonce les principaux défis de la stratégie contemporaine. Témoin des grands bouleversements du début du XIXᵉ siècle, il comprend que la politique et la guerre changent de nature. L'État se transforme, la guerre également. Elle n'est plus le fait de princes, utilisant des armées de métier, recrutées souvent dans le mercenariat, conduites par des aristocrates. Elle devient l'affaire des peuples en armes qui s'enflamment pour des idéaux nouveaux : la liberté, l'égalité, la nation. De 1792 à 1815, la guerre prend des formes extrêmes ; elle engouffre l'Europe, entraînant des millions de morts modifiant les frontières, les rapports de forces, la structure de l'ordre international.

1.1. *Le duel*

Après avoir participé aux guerres napoléoniennes, il commence la rédaction de son fameux livre *De la guerre,* qu'il laisse inachevé au moment de sa mort. Cet ouvrage représente avant tout un effort pour théoriser la guerre, définir sa nature, conceptualiser ses éléments essentiels et ses relations avec la politique. Quelle est l'essence de la guerre ? Clausewitz réduit ses éléments constitutifs à un grand duel, un affrontement sans merci. Chez les « sauvages », les guerres sont davantage déterminées par les instincts que par la raison. Pour l'essentiel cependant, elles se résument à un affrontement de volontés hostiles qui prend une forme violente. Comme le duel, elles s'achèvent généralement par la mort, ou le désarmement de l'adversaire. La violence n'est pas l'essence de la guerre, mais son moyen, celui utilisé pour imposer une volonté. La guerre n'est pas absurde. Elle a un but, même si elle appartient aussi au domaine des passions dont le déchaînement croit avec la durée des hostilités.

1.2. *La politique détermine les fins stratégiques*

La guerre est donc un acte de violence qui tend à s'emballer, puisque l'agression suscite une riposte qui entraîne à son tour une réaction. Par sa dynamique, elle monte au paroxysme de la violence. Mais d'ordinaire elle ne suit pas cette ascension, car son évolution est commandée par des objectifs politiques. Son but doit être la défaite de l'ennemi. Mais cette fin n'est pas toujours possible. Ses protagonistes doivent souvent se contenter d'objectifs restreints. La capacité de défaire l'adversaire suppose une supériorité physique ou morale, un grand esprit d'entreprise, le goût des risques. Si cela fait défaut, il faut se contenter de buts plus limités : conquête d'une partie du territoire ennemi, défense de son propre territoire en attendant de meilleures circonstances. L'anéantissement, le désarmement de l'adversaire n'ont dès lors pas une valeur absolue. La guerre n'est jamais un acte isolé. Elle a une histoire. Elle se situe dans un ensemble de circonstances sociales. Elle se développe dans la durée. Ses solutions sont diverses. L'ensemble des forces qu'elle requiert n'est pas immédiatement mobilisable, les alliance sont aléatoires. La fin de la guerre n'est jamais définitive. L'ennemi se relève.

La politique détermine ainsi tant les buts de la guerre que les moyens qui devront être employés au service des fins poursuivies. La guerre n'est pas seulement un acte politique mais aussi un instrument de la politique. La fameuse formule est donc lancée : « la guerre est la simple poursuite de la politique par d'autres moyens. » Elle constitue un aspect des rapports politiques. Son déclenchement, aussi bien que son déroulement, sont indissociables de la politique qui la commande. La guerre réelle, par opposition à la guerre abstraite représentée par l'image d'un duel sans merci, prolonge la politique qui ne perd pas pour autant ses droits. La politique a d'autres moyens, en particulier ceux du commerce normal entre les nations, la diplomatie.

Plus les motifs de la guerre sont importants, plus ils affectent l'existence des peuples concernés, plus la guerre aura tendance à prendre sa forme absolue. Dans ce cas, la logique de la guerre, qui tend à la destruction de l'ennemi, coïncide avec les finalités politiques. Rares sont pourtant les guerres totales où les ennemis ne communiquent plus. Le principe de la reddition inconditionnelle des forces de l'Axe, proclamé par Roosevelt en 1943 pour rassurer l'URSS, supposait le refus de négocier avec l'ennemi. Il ne fut pas toujours suivi. Le général Eisenhower dut négocier l'armistice italien. Au moment de leur capitulation, les Japonais ont obtenu le droit de maintenir l'institution impériale. En revanche si les buts de guerre sont limités, la guerre ne suivra pas sa tendance à prendre sa forme absolue. R. Aron a bien montré dans *Penser la guerre, Clausewitz* que la théorie de l'officier prussien va à l'encontre d'une philosophie militariste. Si la guerre sert de moyen à la politique, elle vise aussi à la restauration de la paix. En restant subordonnée à des fins politiques, elle ne suit pas nécessairement sa propre dynamique. Certes, on a dit également que dans la perspective de Clausewitz la volonté de l'État était constamment orientée vers l'accroissement de la puissance et que ses appétits stratégiques étaient donc difficiles à assouvir. Dans cette conception, les intérêts de l'État et de l'armée coïncideraient et finiraient par entretenir une violence en quelque sorte permanente. Aron réfute cette thèse qui fait de Clausewitz un va-t-en-guerre. Il montre que Clausewitz a au contraire opté pour une politique d'équilibre européen. Il a certes admiré Napoléon comme chef militaire, mais il a également expliqué sa défaite finale par la démesure de ses ambitions.

L'offensive doit être la stratégie de celui qui prend les armes. Toutefois, la position stratégique de la défense est plus favorable du point de vue militaire. La stratégie doit être poursuivie en s'inspirant des principes suivants : « Il faut ramener le poids de la force ennemie à des centres de gravité aussi peu nombreux que possible, à un seul s'il se peut ; ensuite, limiter l'attaque contre ces centres de gravité à un nombre d'entreprises principales aussi peu nombreuses que possible, à une seule s'il se peut ; enfin, maintenir toutes les entreprises secondaires aussi subordonnées que possible. En un mot, le premier principe est : se concentrer autant qu'on le peut ; le second principe est : agir aussi vite que possible, ne permettre ni délai, ni détour sans raison suffisante. » (Chap. IX livre 8.)

2. La guerre totale

2.1. *Logistique et progrès techniques*

En mettant à jour certaines lois de la guerre, Clausewitz n'avait pas la prétention d'établir une théorie générale des conflits armés. Les guerres s'inscrivant dans le champ de la politique, leur déroulement suit nécessairement l'évolution des circonstances historiques. Elles se transforment au cours du XIXe siècle avec l'essor de la société industrielle. Les problèmes de logistique y prennent une grande place dans les calculs des stratèges. La capacité d'amener et de maintenir les troupes les plus nombreuses et les mieux équipées sur les théâtres d'opération peut assurer la victoire. C'est l'enseignement de la guerre de Sécession. Les Nordistes, pourtant inférieurs au combat, ont été capables de mobiliser davantage de ressources industrielles et humaines, en utilisant au mieux les cours d'eau pour le transport, en mettant à profit les premières voies ferrées. Ils ont gagné cette guerre d'usure grâce à leur supériorité logistique.

La guerre revêt désormais une dimension sociopolitique que Clausewitz avait bien anticipée. En effet, pour que la logistique soit en mesure de suivre, le stratège doit administrer et planifier la mobilisation des forces matérielles et humaines nécessaires à la conduite de la guerre. L'État draine toutes les ressources de l'économie pour le ravitaillement de l'armée, pour la production des pièces d'artillerie, des obus, bientôt des avions, des chars et des gaz. Les fonctionnaires jouent un rôle décisif à l'arrière, notamment parce qu'ils contribuent à l'organisation de la production. Le gouvernement doit encore convaincre les travailleurs de participer à cet effort. Le suffrage féminin, le développement des services de santé et de sécurité sociale, sont des conquêtes des guerres mondiales dans lesquelles l'État étend son emprise sur tous les aspects de la vie sociale, économique et culturelle.

Les guerres au XXe siècle acquièrent par surcroît une spécificité : elles tendent à échapper aux événements qui les provoquent, aux politiques qui les déterminent. R. Aron a bien montré ce phénomène dans le premier chapitre qu'il consacre à ce qu'il appelle *Les Guerres en chaîne* (1951), et qu'il intitule la «surprise technique». Pendant des siècles, la technique des armements a évolué lentement. Clausewitz accorde relativement peu d'importance à ce facteur dans l'évolution des guerres. Avec la révolution industrielle, ses progrès s'accélèrent. Au XIXe siècle, les innovations scientifiques et techniques confèrent déjà une supériorité écrasante aux puissances européennes dans leur conquête coloniale. Au cours de la guerre de Sécession, on expérimente des fusils à chargeur, des mitrailleuses, des torpilles, des mines, des télégraphes de campagne, des signaux lumineux, des réseaux de barbelés, des mortiers, des grenades à main. On utilise aussi des trains blindés, des balles explosives.

2.2. *Civils et militaires*

La Première Guerre mondiale offre un nouveau champ d'expérimentation aux industries d'armements. Au départ «fraîche et joyeuse», la guerre se transforme en batailles impitoyables. Elle monte aux extrêmes parce qu'elle dure. Elle dure parce que les batailles ne sont pas décisives. Après la bataille de la Marne, elle s'enlise et la défense prend le pas sur l'attaque. C'est la guerre d'usure dans les tranchées les fronts fixes, les fortifications, les offensives désespérées, les millions de morts et de blessés à Verdun, sur la Somme, à Gallipoli. La guerre sous-marine — autre surprise technique — finit par entraîner les États-Unis.

L'extension du conflit entretenu par la technologie s'accompagne aussi d'une confusion toujours plus forte entre civils et combattants : l'avion, les gaz, la Grosse Bertha qui tire sur Paris, les populations civiles du Nord soumises aux lois souvent barbares de l'occupant, aux ravages des bombardements. Il faut dès lors utiliser tous les moyens de propagande moderne pour entretenir le moral des militaires et des civils. On évoque les atrocités allemandes dans les zones occupées. Les pertes avivent alors les passions. On oublie les fondements de la guerre. On la poursuit parce que sa durée attise les passions nationalistes. Les compromis deviennent impossibles et les négociations de paix dangereuses. La guerre totale est au carrefour de l'idéologie nationaliste et des conquêtes de la société industrielle.

2.3. *Les bombardements massifs*

La mitrailleuse, puis le char et l'avion constituent de grandes percées techniques de la Première Guerre mondiale. À l'issue de ce conflit, on diverge toutefois dans les milieux militaires sur la signification stratégique de ces nouveaux engins, notamment sur la manière d'engager les chars. Nombreux sont les militaires qui anticipent leur rôle décisif dans les prochaines batailles. Certains stratèges en viennent également à penser que l'aviation jouera désormais un rôle déterminant pour dissuader les États de recourir à la guerre, ou pour terminer rapidement un conflit par des bombardements sur les concentrations de troupes, les industries, et même pour terroriser les populations civiles. La Grande Guerre avait montré qu'il était impossible d'anéantir l'ennemi par des offensives à outrance. De terribles batailles avaient été livrées sans résultats décisifs. La guerre n'avait pas été gagnée par les armes, mais parce que l'Allemagne avait perdu la volonté de combattre. Le penseur militaire anglais Basil Lidell Hart s'emploie dès lors à critiquer une certaine lecture de Clausewitz exigeant « la destruction des principales armées ennemies sur le champ de bataille ». Il préconise le recours à une stratégie indirecte, reposant sur l'action conjointe des chars et de l'aviation. Il est alors convaincu que l'on peut obtenir l'effondrement de l'ennemi sans atteindre ses forces militaires principales, sans même livrer de grandes batailles, mais en coupant ses lignes de communication, en disloquant ses systèmes de liaisons et de commandements, en attaquant ses arrières.

En 1940, l'utilisation conjointe des avions et des chars permet aux Allemands de bousculer les armées françaises. Hitler, poursuivant les méthodes de la guerre civile espagnole, s'en prend aux populations civiles en bombardant sauvagement Rotterdam et Londres. Les Anglais répliquent par des raids sur Berlin. Ils poursuivent ensuite des bombardements de terreur qui vont culminer avec la destruction de Dresde, qui fait quelque 200 000 victimes. Ces actions visent les centres de production, mais aussi le moral des populations. La guerre est devenue totale.

Ce ne sont pourtant pas les techniques qui vont déterminer le cours de la Seconde Guerre mondiale, mais leur engagement opérationnel, donc la qualité du commandement et le moral des troupes. En outre, la stratégie indirecte préconisée par les Britanniques dans l'espoir d'économiser leurs ressources humaines ne suffira pas pour terrasser le IIIe Reich. Les bombardements de l'Allemagne ont des effets militaires dérisoires. Les avions ne gagnent pas la guerre. Pour vaincre la Wehrmacht, il faut les grandes batailles sur le front russe. Il faut également débarquer en Normandie, grimper les falaises, s'agripper à chaque motte de terre, vaincre l'ennemi partout où il se trouve. Clausewitz a raison. Pas pour longtemps, car la guerre contre le Japon se termine par l'explosion de bombes atomiques, et ces nouvelles armes, utilisées comme un tragique point d'orgue des bombardements stratégiques de la Seconde Guerre mondiale, vont effectivement donner une autonomie aux nouveaux instruments de combat.

3. La dissuasion nucléaire

3.1. *La révolution stratégique*

En 1945, après les destructions de Hiroshima et de Nagasaki, le Premier ministre anglais, Clement Attlee, pressent immédiatement l'immense portée stratégique de la bombe atomique et ses conséquences sur l'évolution des relations internationales. Peu après la conférence de Potsdam, à laquelle il a participé, il rédige un mémorandum à l'intention de son Cabinet proposant une redéfinition de la politique et de la stratégie britanniques. Selon lui, il n'est plus possible de protéger Londres ou les autres villes britanniques. Les abris classiques sont désormais illusoires. L'Angleterre étant devenue indéfendable, il ne sert plus à rien de planifier le contrôle des voies de communications maritimes et la défense du Commonwealth. Les bases en Méditerranée ou l'empire des Indes n'ont plus de sens du point de vue militaire. «J'ai remarqué qu'à Potsdam on parlait encore de la Neisse occidentale alors que les rivières ont perdu leur valeur stratégique avec le développement de la puissance aérienne. Il est infiniment plus difficile de réaliser que les conceptions modernes de la guerre, celles auxquelles je me suis fait au cours de mon existence, sont désormais complètement démodées.» Les bombardements de Berlin et de Magdeburg furent la réponse à ceux de Londres et de Coventry. Un bombardement atomique de Londres entraînerait des attaques analogues contre d'autres villes ennemies. «Il était acceptable de se battre en duel avec des épées et des pistolets inefficaces. On a renoncé au duel avec le développement des armes de précision. Que fera-t-on avec la bombe atomique?» Attlee ne croit pas aux conventions dans ce domaine. Si l'Allemagne avait envahi l'Angleterre, les gaz auraient été utilisés. Il sait aussi que l'on ne peut pas garder le secret de l'arme atomique. Il faut désormais renoncer à la guerre. Toutes les nations doivent abandonner leurs rêves expansionnistes. Cette vision des choses semblait jusqu'alors utopique. Elle éclaire maintenant la condition de la survie de la civilisation, peut-être même de la vie sur cette terre. Les États-Unis, la Grande-Bretagne et la Russie doivent agir dans ce sens. Le 25 septembre, Attlee écrit au président Truman pour lui faire part de ses inquiétudes et lui proposer de le rencontrer à ce sujet : «Nous n'avons jamais connu auparavant une arme capable de détruire complètement, soudainement, sans avertissement, le centre vital d'une nation.» L'apparition de cette nouvelle arme a changé la nature de la guerre, car il ne sera désormais pas possible de se protéger d'avions ou de fusées volant dans la stratosphère et lâchant des bombes atomiques sur les grandes villes. Il n'y aura pas d'autre défense que la dissuasion d'une riposte semblable. Si l'humanité continue de fabriquer des bombes atomiques sans modifier la nature des relations politiques entre les États, ces bombes seront nécessairement utilisées pour une commune destruction.

3.2. *L'«arme absolue»*

Le thème de la dissuasion par la terreur nucléaire, auquel Attlee faisait allusion dans les jours suivant l'explosion des premières bombes atomiques, devait engendrer toute une réflexion théorique. En 1946, Bernard Brodie publie un ouvrage d'essais consacrés à la bombe atomique intitulé *The Absolute Weapon* (l'arme absolue), soulignant l'aspect révolutionnaire de cet engin militaire. «Jusqu'ici, l'objectif essentiel de nos chefs militaires a été de gagner les guerres. À partir de maintenant, leur but principal doit être de les prévenir. Il ne peut guère être de but plus utile» (cité par G. Chaliand, *Anthologie mondiale de la stratégie,* Paris, Laffont, 1990, p. 1266). Brodie souligne en effet que toutes les villes du monde peuvent être détruites par une bombe atomique, par quelques bombes tout au plus, et qu'il n'existe contre ces armes aucun moyen de défense efficace. Dans la guerre atomique, prévoit-il, la supériorité en nombre de bombes ne sera pas une garantie de supériorité stratégique. De toute manière, le spectre de cette arme bouleversera les conditions de la stratégie et de la tactique. La guerre peut-elle rester dans ces conditions « la continuation de la politique par d'autres moyens » ? Georges Kennan en doute. En 1950, celui qui fut au début de l'affrontement Est-Ouest l'un des principaux inspirateurs de la politique étrangère des États-Unis affirme que l'utilisation des bombes atomiques ne pourrait plus servir aucune fin politique, car une guerre nucléaire détruirait les fondements de la civilisation occidentale. En conséquence, on ne peut concevoir une stratégie rationnelle prévoyant l'utilisation de ces armes. L'arme atomique, remarque Lucien Poirier dans son ouvrage *Des stratégies nucléaires,* permet d'anticiper une coïncidence « impossible au temps de Clausewitz, de la guerre selon son pur concept et de la guerre réelle, concrète ». Paradoxalement, la guerre que Clausewitz avait pensée comme une abstraction, devient possible avec le feu nucléaire, supprimant du même coup sa finalité politique : rien n'entrave son ascension vers sa forme absolue. L'arme atomique ne saurait être développée en vue du combat, mais peut servir à convaincre l'ennemi à renoncer à la guerre. C'est bien l'amorce d'un changement fondamental dans les relations internationales.

3.3. *La dissuasion appliquée*

Les armes nucléaires ont effectivement une fonction dissuasive en 1948 lors du blocus de Berlin par les forces soviétiques. Les États-Unis veulent défendre la présence occidentale dans cette ville située dans la zone d'occupation soviétique, mais leurs forces conventionnelles sont très inférieures à celles de l'armée Rouge. Pendant l'été, une soixantaine de bombardiers B-29 arrivent en Angleterre, « en mission d'entraînement ». Ces avions sont théoriquement capables d'emporter des bombes atomiques. Il s'agit d'une mesure d'intimidation, car en fait ils n'en transportent pas. Lors de la guerre de Corée, les États-Unis livrent des batailles cruelles, sans engager les armes nucléaires. À plusieurs reprises toutefois, la menace d'y recourir est utilisée pour convaincre l'ennemi de mettre un terme aux hostilités. À nouveau, l'arme atomique fait partie d'une stratégie dissuasive.

4. La course aux armements nucléaires

En 1949, l'URSS annonce l'explosion de sa première bombe atomique. Les États-Unis décident le développement d'une arme thermonucléaire, beaucoup plus puissante que les bombes lancées sur le Japon. Les Soviétiques suivent cette course aux armements. Au début des années cinquante, l'arsenal nucléaire américain augmente considérablement. Le Pentagone accorde aussi un haut degré de priorité au développement des forces aériennes. En 1953, les États-Unis ont un millier d'armes nucléaires. Vers la fin de la décennie, ils en comptent 18 000. La croissance de cette puissance atomique est insensée, car elle ne repose sur aucune stratégie cohérente et réaliste. Les scénarios de guerre prévoient pourtant de frapper les industries, les nœuds de communications, les sources d'énergie en URSS. La stratégie nucléaire continue d'être pensée dans les catégories des batailles conventionnelles, notamment en tenant compte de l'expérience des bombardements massifs de la Seconde Guerre mondiale.

L'URSS augmentant son potentiel atomique, il devient évident que les États-Unis doivent réorienter leurs conceptions stratégiques, car les villes américaines sont désormais vulnérables au feu nucléaire. Il n'est pas réaliste d'envisager un affrontement qui pourrait s'avérer suicidaire. Dès le début des années cinquante, on annonce le temps où les deux «super-puissances» seront en mesure de se détruire mutuellement. En 1953, le célèbre physicien américain Oppenheimer évoque à ce propos l'image de deux scorpions enfermés dans une même bouteille pour caractériser les rapports stratégiques entre les États-Unis et l'URSS.

4.1. *La doctrine des représailles massives*

Pour dissuader l'adversaire communiste, les dirigeants américains énoncent alors la «doctrine des représailles massives» : si l'URSS ou la Chine venaient à recourir à la guerre, les États-Unis riposteraient en utilisant tous leurs moyens nucléaires. Ils craignent désormais la multiplication des batailles conventionnelles, du genre de celle qui s'achève en Corée. C'est la «politique au bord du gouffre» qui vise à convaincre l'adversaire de ne pas modifier le *statu quo*.

Le défaut de l'armure est évident. Si la menace des représailles massives n'est pas prise au sérieux par l'URSS, les États-Unis auront le choix entre le suicide et la capitulation. Cette menace perd aussi de sa crédibilité au fur et à mesure que les Soviétiques développent leur arsenal nucléaire, ainsi que le nombre et la portée de leurs missiles. Le 4 octobre 1957, ils envoient leur premier Sputnik autour de la terre. L'événement, qui est abondamment exploité par la propagande du Kremlin, crée une vive émotion aux États-Unis, car il semble indiquer une avance soviétique dans le domaine des lanceurs. Malgré cela, la supériorité américaine reste encore écrasante. Cette prépondérance n'est certainement pas sans effet sur le déroulement des crises de Berlin ou de Cuba. Mais elle ne peut durer, car les Soviétiques accélèrent leur programme d'armements nucléaires après la crise de Cuba.

4.2. *Des guerres nucléaires limitées?*

Le débat sur les armes nucléaires s'amplifie dans les milieux académiques et politiques. Il porte notamment sur la possibilité de guerres nucléaires limitées, et l'utilisation éventuelle d'«armes nucléaires tactiques», armes de relativement faible puissance pouvant théoriquement appuyer les forces conventionnelles dans leurs engagements contre l'ennemi ou servir dans les phases initiales d'une escalade militaire.

Pour que la guerre soit limitée, il faut que les objectifs politiques le soient également. De toute évidence, la reddition inconditionnelle de l'adversaire, inscrite dans la logique de la guerre à outrance, n'est plus concevable. La victoire totale est trop proche de la défaite totale. En fait, la notion d'objectif limité est difficile à définir dans une relation conflictuelle. Un but de guerre limité pour l'un des camps peut s'avérer d'importance primordiale pour l'autre. Le maintien de l'indépendance de la Pologne est un objectif limité en 1939. En 1914, les objectifs de guerre sont incertains. En réalité, les buts de guerre initiaux ne conditionnent pas nécessairement la nature des hostilités. La question des moyens limités n'est pas non plus une panacée, car l'engagement d'armes «tactiques» pourrait entraîner une escalade.

4.3. *Les représailles graduées*

Au début des années soixante, l'administration Kennedy affirme néanmoins la «doctrine des représailles graduées», qui pose pour principe la capacité de riposter à toute agression par des moyens appropriés, supérieurs à ceux engagés par l'adversaire. La «doctrine des représailles massives» n'est pas adaptée aux nouvelles formes de guerre périphérique qui minent alors les positions occidentales dans les régions du tiers-monde. Pour faire face à toutes les formes d'agression ou de menace communiste, il faut adopter une position stratégique souple, fondée sur l'utilisation de moyens appropriés. Ce n'est pas un hasard si l'escalade des États-Unis dans la guerre du Viêt-nam coïncide avec l'énoncé de cette nouvelle doctrine, car elle va également de pair avec le développement d'une réflexion sur les moyens de conduire des guerres contre-insurrectionnelles. L'objectif de cette nouvelle conception est de repousser le seuil de l'engagement nucléaire, et surtout une guerre atomique à grande échelle. Si la dissuasion nucléaire échouait et que l'URSS attaquait l'Europe, il resterait la possibilité de prolonger les effets de la dissuasion en orientant le cours de la guerre vers une solution politique rapide. Les villes américaines seraient encore à l'abri du feu nucléaire, alors même que des batailles atomiques seraient livrées en Europe. Cette stratégie garde toujours en option l'éventualité d'une action de «représailles massives» contre l'URSS.

D'apparence plus rationnelle, cette doctrine a pour effet de «conventionnaliser» les batailles nucléaires. Elle fait l'hypothèse en effet que les armes nucléaires tactiques pourront être un échelon de l'escalade en cas d'engagements militaires contre l'URSS. Pour développer les capacités stratégiques des «représailles graduées», il faut encore multiplier la nature et le nombre des armes atomiques. En 1967, les États-Unis disposent de quelque 32 000 têtes nucléaires ! Un seul B-52 peut emporter une bombe de 25 mégatonnes, enfermant plus de douze fois la puissance explosive de toutes les bombes lancées durant la Seconde Guerre mondiale, y compris celles de Hiroshima et Nagasaki.

4.4. La destruction mutuelle assurée

Dans les années soixante-dix, les stratèges américains se replient sur une conception de la dissuasion réaffirmant la capacité d'infliger à l'URSS des dommages civils et militaires intolérables en cas de guerre nucléaire. Le concept à la mode devient celui de la «destruction mutuelle assurée» (MAD, en anglais : fou !). C'est une stratégie d'«équilibre de la terreur». On s'engage donc à développer des armes nucléaires et des vecteurs suffisamment puissants pour montrer sa capacité de répondre à toute espèce de confrontation.

4.5. La dissuasion fut-elle crédible ?

En définitive, le but de la dissuasion par la terreur fut de persuader l'adversaire que la guerre ne pouvait pas être l'instrument d'une politique raisonnable. Les fondements de cette stratégie furent fragiles. La menace de recourir à la guerre atomique pour défendre des intérêts nationaux n'était pas vraisemblable. Peut-on concevoir un but politique justifiant un suicide collectif ? Comment convaincre l'ennemi qu'on sera assez fou pour engager une action militaire invalidant toute politique raisonnable ?

La rationalité de cette stratégie fut encore plus discutable pour les petites puissances nucléaires. Ainsi, la stratégie nucléaire de la France était celle d'une dissuasion fruste : elle visait à convaincre l'adversaire d'une capacité, et surtout d'une volonté de réagir à une agression par une riposte aux conséquences incalculables. L'«équilibre de la terreur» n'a pas besoin d'être symétrique. L'enjeu était bien évidemment le maintien d'une capacité de seconde frappe. Mais on peut se demander si un État ayant subi une attaque nucléaire aurait vraiment un intérêt à riposter : ses silos étant détruits, sa population civile ayant subi de gros dommages, ses villes étant menacées, aurait-il intérêt à poursuivre les hostilités en lançant ses derniers missiles, au risque de recevoir une nouvelle salve dévastatrice ?

En raison de son enjeu, de l'influence qu'elle a exercée sur les relations internationales contemporaines, l'analyse de la dissuasion nucléaire a mobilisé une grande part des études stratégiques. Et pourtant les guerres contemporaines se sont jouées au niveau infranucléaire. Si l'âge nucléaire a considérablement limité les options stratégiques des grandes puissances militaires, en leur interdisant d'utiliser la guerre pour trouver une issue à leurs rapports conflictuels, il n'a nullement diminué la fréquence et l'intensité des affrontements militaires régionaux. La dissuasion, qui s'est révélée efficace entre les grandes puissances, fut inopérante dans les conflits régionaux. Les États ne disposant pas d'armes atomiques n'ont pas été dissuadés par la puissance nucléaire, comme le montrent les exemples de la Corée du Nord et de la Chine communiste en 1950-1951 contre les forces américaines, du Nord Viêt-nam de 1965 à 1974, ou encore de l'intervention argentine contre les Malouines (Falkland) en 1982. Le Moyen-Orient fut périodiquement le théâtre de guerres conventionnelles. Le perfectionnement des armes classiques n'a pas été un facteur dissuadant les États arabes de recourir à la guerre, ou de brandir la menace d'une agression belliqueuse. Des guerres classiques ont également éclaté au début des années soixante en d'autres régions d'Asie, notamment entre la Chine et l'Inde, ou entre le Pakistan et l'Inde.

La dynamique des conflits régionaux fut cependant marquée par l'existence de l'arme atomique et par le développement général des nouveaux systèmes d'armement. Le perfectionnement de ces armes a encouragé les États faibles, ou les mouvements de libération nationale, à recourir à des stratégies de guérilla ou de terrorisme dans le but d'infléchir la volonté politique des grandes puissances. Certains États, la Libye, l'Irak, l'Iran ou la Syrie ont soutenu des groupes terroristes frappant des intérêts américains ou français en Europe, au Moyen-Orient et en Afrique. Ces actions terroristes ont été utilisées en même temps que la propagande et l'action diplomatique classique, donc comme un instrument parmi d'autres de la stratégie moderne.

5. Les conséquences politiques de la dissuasion

5.1. *Le commandement américain en Europe*

La dissuasion nucléaire a orienté la nature des rapports antagonistes entre les États-Unis et l'URSS, et la politique internationale reste aujourd'hui marquée par l'existence des armes atomiques. La configuration du rapport des forces sur la scène internationale, la nature des systèmes d'alliances furent en effet dominées par ce phénomène stratégique. Ainsi, après la Seconde Guerre mondiale, les pays de l'Europe occidentale n'étaient pas en mesure de répondre par leurs propres moyens aux menaces de l'Empire stalinien. La création de l'Alliance atlantique en 1949, qui obligeait les États-Unis à les défendre, visait à surmonter cette infériorité stratégique. Sitôt après la guerre de Corée, l'arme nucléaire joua un rôle décisif dans la stratégie de l'Alliance atlantique. Elle exigea un état-major intégré sous commandement unique. L'OTAN passa en conséquence sous le commandement d'un général américain. En stationnant plusieurs centaines de milliers d'hommes en Allemagne, en développant un réseau de bases militaires en plusieurs points du continent, notamment en Italie, en Grèce et en Turquie, les États-Unis ont façonné l'évolution économique et politique de ces pays, et même de l'Europe tout entière, en donnant une impulsion décisive à son mouvement d'intégration. Leurs effectifs ont été réduits après la chute du mur de Berlin, mais non leur détermination de jouer un rôle dans la défense et l'évolution politique de l'Europe.

5.2. La crise de l'Alliance atlantique

Instrument de dissuasion nécessaire, l'arme atomique fut aussi l'enjeu des disputes et des malentendus qui n'ont cessé de miner l'Alliance atlantique. Les Européens ont douté de la résolution américaine, tout en craignant d'être entraînés dans des conflits qui ne relevaient pas de leurs intérêts immédiats, au Moyen-Orient ou en Asie par exemple. L'«équilibre de la terreur» à partir des années soixante rendait en effet peu probable que le gouvernement américain acceptât les risques d'une attaque nucléaire contre les États-Unis pour garantir la sécurité de l'Europe, comme il s'était engagé à le faire. La doctrine des «représailles graduées» semblait même indiquer un danger accru d'y livrer une guerre conventionnelle dévastatrice, peut-être même une bataille nucléaire. Ce fut l'argument utilisé par le général de Gaulle pour accélérer le développement d'une bombe atomique française, et quitter le commandement intégré de l'OTAN. Le président français a provoqué ainsi une crise majeure au sein de l'Alliance. À la fin des années soixante-dix, l'installation en Europe de nouveaux missiles américains de moyenne portée, en réponse au déploiement d'armes soviétiques analogues, a provoqué une nouvelle crise au sein de l'OTAN. La mise en place de ces engins avait été demandée par les dirigeants européens, comme un gage de la détermination américaine. Toutefois, les grands mouvements de protestation pacifistes ont ébranlé leur détermination politico-stratégique.

5.3. La défense d'intérêts périphériques

Pour suivre la logique de la dissuasion, les dirigeants américains ont manifesté au cours de la guerre froide une grande détermination dans la protection d'intérêts apparemment secondaires par rapport à leur sécurité nationale, car toute expression de faiblesse à cet égard pouvait jeter un doute sur la crédibilité de leur système d'alliances et finalement sur la valeur de leurs engagements stratégiques. La guerre froide est un ensemble de gesticulations politiques, souvent de bluffs, au cours desquels les adversaires ont voulu montrer leur détermination. Lors de chaque crise majeure, de Berlin jusqu'au Viêt-nam, en passant par la Corée et Cuba, les présidents américains ont insisté sur leur volonté de ne pas céder devant la force, au risque de mettre en cause les fondements de la politique et de la stratégie des États-Unis. Ainsi, à tort ou à raison, la défense de Berlin devint un symbole de la volonté américaine de protéger la RFA et l'Europe occidentale dans son ensemble.

5.4. Les conflits régionaux

L'«équilibre de la terreur» a peut-être encouragé l'éclatement de certains conflits régionaux, car les grandes puissances ont trouvé un avantage à s'affronter de manière indirecte, comme le montre le rôle de l'URSS dans les origines de la guerre de Corée, ou l'appui qu'elle a donné à la République populaire du Viêt-nam. En cristallisant les frontières politiques en Europe, il a aussi engagé les États-Unis et l'URSS à rechercher dans les pays d'Asie, d'Afrique ou d'Amérique latine de nouvelles sphères d'influence, avivant ainsi les conflits régionaux. Cette stratégie indirecte encouragea aussi le surarmement de nombreux pays du tiers-monde, leur conférant des moyens de répression interne considérables. En Amérique latine, elle favorisa la montée de régimes militaires qui légitimaient leur dictature en invoquant des «doctrines de la sécurité nationale», idéologies qui se résumaient à quelques considérations de géopolitique et aux idées alors en vogue dans les milieux conservateurs sur la défense du «monde libre» et de «la civilisation chrétienne». En outre, l'«équilibre de la terreur», allant de pair avec le développement incessant des armements conventionnels, a sans doute également contribué à rendre intangibles les frontières de la décolonisation. En conséquence, la plupart des conflits qui se sont développés au cours des dernières décennies ont pris la forme de guerres civiles et de conflits ethniques.

5.5. Le surarmement nucléaire

La dissuasion ne repose pas seulement sur les capacités militaires effectives, mais sur l'effroi que suscitent l'existence des armes nucléaires et la résolution de les employer. Elle s'exprime en termes essentiellement psychologiques. Elle vise à faire passer une image de résolution. En conséquence, le paradoxe de la dissuasion nucléaire, c'est l'exigence de préparer la guerre, d'anticiper les scénarios d'opérations les plus effroyables, de brandir la menace d'un holocauste nucléaire pour assurer le maintien du *statu quo*. La dissuasion exige donc que l'on se prépare constamment à prévoir l'impensable. Elle encourage aussi le gonflement des attributs symboliques de la puissance. On poursuit une course aux armements, en accumulant les lanceurs, les charges nucléaires, les systèmes de tir et les réseaux de bases, pour montrer à l'adversaire qu'ils ne faibliront pas, qu'ils livreront les guerres nucléaires sur n'importe quel front. L'acquisition permanente de nouveaux systèmes d'armements, qui doivent être planifiés sur une période de dix à quinze ans, est une manifestation de cette détermination. La dissuasion par la terreur peut fonctionner si l'adversaire reste convaincu qu'il n'est pas en mesure de gagner en frappant le premier. La panoplie des armements est conçue pour fermer «toute fenêtre de vulnérabilité». Pendant la guerre froide, cette course aux armements fut d'autant plus intense que les gouvernements furent liés à d'énormes complexes militaro-industriels qui tenaient leur statut, leur profit, et leur raison d'être de la poursuite de cette course infernale.

La dissuasion par la terreur fut définie comme une stratégie défensive. L'adversaire pouvant l'interpréter comme l'expression d'intentions agressives, il avait par conséquent toutes les raisons de poursuivre son propre programme d'armements. Il s'ensuivit une spirale infernale. Ainsi, le développement par les États-Unis au début des années soixante-dix des fusées à têtes multiples, puis l'installation en Europe par les Soviétiques de nouvelles fusées à moyenne portée, enfin l'initiative de défense stratégique (la «guerre des étoiles»), annoncée par le président Reagan en 1985, furent autant d'événements qui ont contribué à la relance de cette dynamique absurde.

5.6. *La prolifération des armes de terreur*

La Grande-Bretagne, qui avait été étroitement associée au développement de la première bombe atomique, poursuivit son propre programme nucléaire, sous l'égide du gouvernement travailliste. Elle fit exploser une première bombe atomique en 1952. La France s'est engagée dans la même voie. Pour le général de Gaulle, la possession de l'arme atomique devait permettre à la France de «retrouver son rang» parmi les grandes puissances. Ses successeurs continuèrent cette politique. La Chine fit exploser une bombe atomique en 1964, deux ans après la France. En 1974, l'Inde fit de même. Israël s'est sont doté d'armes analogues. Le Pakistan et l'Irak ont également mis en place d'importants programmes d'armements nucléaires. Pour ces États, la possession de la bombe atomique est à la fois un instrument de dissuasion militaire dans le cadre de leur environnement régional et un attribut de la puissance politique. Leur utilisation dans le cadre d'une guerre régionale pourrait inciter les grandes puissances à intervenir, et mettrait en jeu la paix du monde.

La prolifération des armes nucléaires constitue un aspect des nouvelles menaces pesant sur la sécurité internationale. Celle des missiles balistiques et des armes biologiques et chimiques en est une autre. La guerre du Golfe a illustré l'impact de ces nouvelles techniques de combats modernes, et les dangers qu'elles constituent pour les populations civiles. D'après le SIPRI, 25 États pourraient acquérir des missiles balistiques, parmi lesquels l'Égypte, l'Inde, l'Iran, Israël, les deux Corées, la Libye, la Syrie et Taïwan. Armés de têtes chimiques ou pis d'armes bactériologiques, ces missiles pourraient avoir des effets comparables à ceux de petites bombes nucléaires. Un spectre hante l'humanité : celui d'un dictateur dont la logique ne se plierait pas à la rationalité de la dissuasion nucléaire. Il n'est pas impossible non plus que les grandes puissances, en particulier les États-Unis en viennent à multiplier leurs interventions étrangères pour atténuer ce genre de menace. La guerre qu'ils ont livrée dans le Golfe a répondu en partie à ce projet.

5.7. *La consolidation du* statu quo

La dissuasion nucléaire fut aussi un élément stabilisateur dans les relations internationales. Si les Soviétiques ont dénigré la valeur de cette orientation stratégique, ils ont dans les faits adopté un concept défensif qui n'était pas sans analogie avec la dissuasion par la terreur. Ils ont également obéi à ses contraintes en s'ingéniant à ne jamais laisser les crises de l'après Seconde Guerre mondiale glisser vers une confrontation armée avec les États-Unis ou leurs principaux alliés. Les grandes puissances ont évité les situations d'affrontement direct. Elles ont compris dans les années soixante que les conflits devaient être subordonnés à l'exigence d'une survie collective. Cette impasse stratégique a obligé les États-Unis et l'URSS à respecter leur sphère d'influence respective, à circonscrire les crises pouvant surgir de leurs rapports conflictuels, à développer des mécanismes de coopération pour diminuer les risques de guerre nucléaire. Pour la première fois dans l'histoire du monde, les adversaires ont dû s'entendre pour assurer leur survie mutuelle.

5.8. *Le contrôle des armements*

Les sphères dirigeantes des grandes puissances furent obligées d'instaurer entre elles un système de communication adéquat, permettant des échanges permanents. Elles durent non seulement éviter un éventuel accident nucléaire, mais surtout l'interprétation erronée d'une alerte. Ces échanges ont eu pour effet de modérer l'intensité de la guerre froide. Ce fut l'enseignement de la crise de Cuba, qui marqua un tournant dans la nature de ce conflit. Les efforts qui ont été entrepris depuis lors pour contrôler la course aux armements ont fait partie de ces relations de coopération entre les États-Unis et l'URSS. Le contrôle des armements visait à limiter le nombre ou le type d'armes, ou à empêcher certains développements techniques dans ce domaine. L'objectif de cette politique était de renforcer la dissuasion nucléaire en créant les conditions d'une certaine stabilité militaire dans les relations entre grandes puissances, en facilitant la gestion de leurs interactions conflictuelles et des crises qu'elles engendraient, en diminuant aussi les ressources nécessaires au maintien d'un appareil militaire.

Le contrôle des armements s'est inscrit à partir des années soixante dans la politique de défense nationale des grandes puissances. Les États-Unis et l'URSS ont signé plus d'une vingtaine d'accords visant au contrôle de leurs armements. Ainsi en 1963, ils ont conclu un traité interdisant les essais d'armes nucléaires dans l'atmosphère, dans l'espace extra-atmosphérique et sous l'eau. Ce traité n'empêchait pas la poursuite des expériences souterraines, laissant ainsi aux grandes puissances le droit de continuer de développer leurs armes nucléaires. En 1967, le traité sur l'espace extra-atmosphérique interdit le déploiement d'armes nucléaires et d'autres armes de destruction massive dans l'orbite terrestre. En 1968, le traité sur la non-prolifération des armes nucléaires a prohibé le transfert d'armes nucléaires à des pays qui n'en disposaient pas ou l'acquisition de ces armes par ces derniers. En 1995, ce traité a été prorogé pour un temps indéfini, bien que l'Inde, le Pakistan et Israël aient refusé d'y adhérer. Plusieurs autres conventions du même type ont été signées entre les grandes puissances au cours des années soixante, en particulier le traité de 1971 leur interdisant de placer des armes nucléaires ou d'autres armes de destruction massive dans le fond des mers et des océans ainsi que dans leur zone côtière. En 1972, la convention prohibant les armes biologiques était adoptée. Elle a été ratifiée par plus d'une centaine d'États, mais ses mécanismes de supervision restent imparfaits.

Depuis le début des années soixante-dix, les États-Unis et l'URSS ont fait un pas de plus en cherchant à limiter le développement de leurs systèmes antimissiles. Aux termes du traité ABM (Antiballistic Missiles), ils se sont engagés à ne pas déployer ce genre de système en dehors de deux polygones n'ayant pas plus de 100 lanceurs chacun. En 1974, un protocole additionnel à ce traité a restreint le déploiement de ces systèmes à un seul polygone. Par ailleurs, les accords de limitation des armes stratégiques (SALT) ont défini pour une période de cinq ans le nombre de lanceurs d'armes stratégiques. En 1974, un nouveau traité a interdit les essais souterrains d'armes nucléaires d'une puissance supérieure à 150 kilotonnes. En 1979, les accords SALT II ont limité encore le nombre et le type des vecteurs d'armes nucléaires stratégiques. Ce traité n'a pas été ratifié par les États-Unis, mais chacune des parties a déclaré son intention d'en observer les dispositions.

Les effets de ces accords ont été diversement évalués. La course aux armements est l'expression plutôt que la cause des antagonismes politiques. Si bien que les accords SALT n'ont nullement entravé cette course ; ils ont même coïncidé avec une croissance sans précédent des nouveaux systèmes, notamment avec le développement des fusées à têtes multiples et les missiles de croisière. Malgré ces défauts, il est vraisemblable que la négociation laborieuse de ces accords ait contribué à développer les communications et les procédures de négociation entre les stratèges des deux camps, créant un climat de détente, sinon de confiance mutuelle, et contribuant dans les années quatre-vingt à la fin de la guerre froide. Les sphères dirigeantes américaines et soviétiques se sont progressivement rendues à l'évidence que leur sécurité à l'âge nucléaire n'avait pas d'autre issue que le renforcement de leur coopération mutuelle et de leurs rapports d'interdépendance.

5.9. *Les accords de désarmement*

Le changement de régime en URSS a précipité la signature de nouveaux accords impliquant pour la première fois un véritable processus de désarmement, alors qu'auparavant les conventions signées se contentaient de limiter la course aux armements. Les dirigeants soviétiques ont annoncé clairement un changement de doctrine militaire, affirmant que leur stratégie était désormais de prévenir la guerre et qu'ils se contenteraient d'un niveau d'armement suffisant et raisonnable pour atteindre cet objectif. Le traité sur les forces nucléaires intermédiaires (FNI), signé à Washington en 1987, prévoit l'élimination de tous les missiles sol-sol américains et soviétiques ayant une portée de 1 000 à 5 500 km et de 500 à 1 000 km, de leurs rampes de lancement et de tout le matériel d'appui. L'innovation de ce traité FNI consiste dans ses dispositions relatives à la vérification sur place par des inspecteurs de l'adversaire. En outre, les États-Unis et l'URSS ont poursuivi leurs négociations bilatérales sur la réduction de diverses catégories de leurs armes stratégiques offensives (START). Le cadre d'un accord a été signé en juin 1990, lors d'une réunion au sommet entre les présidents Bush et Gorbatchev. Il a prévu des réductions substantielles à cet égard.

Les négociations sur la réduction des armes conventionnelles en Europe ont fait des progrès remarquables avec la signature à Paris, le 19 novembre 1990, d'un traité sur les forces armées conventionnelles en Europe (traité FCE) fixant pour l'OTAN et le pacte de Varsovie des plafonds du nombre de chars, de véhicules blindés, de pièces d'artillerie, d'avions et d'hélicoptères. Ce traité prévoit également la mise en place d'un système complexe de vérification, comprenant l'échange de données, l'inspection sur place, le contrôle de la destruction du matériel militaire à éliminer.

L'affrontement Est-Ouest étant terminé, les grandes puissances ont multiplié les gestes de désarmement unilatéral, au point de rendre obsolètes les traités qui venaient d'être signés. Par ailleurs, les négociations sur l'interdiction des armes chimiques ont abouti le 15 janvier 1993 à une convention signée par 159 États interdisant la production de ces armes, la destruction des stocks existants en dix ans. Ce traité prévoit la création d'une nouvelle organisation internationale installée à La Haye qui a pour mandat de vérifier son application (v. à ce sujet, M. Bertrand, *La Fin de l'ordre militaire*, Paris, 1996).

Chapitre 5

Les polarisations
économiques et sociales

1. L'ascension du tiers-monde

La Seconde Guerre mondiale a porté un coup mortel aux empires européens. Les victoires initiales du Japon en Asie, la défaite humiliante de la France et de la Hollande en 1940, l'épuisement économique des métropoles coloniales au sortir de la guerre ont miné ces structures impériales. Le principe du droit des peuples à disposer d'eux-mêmes, qui fut invoqué par les Alliés contre les forces de l'Axe, les idéaux de droits de l'homme et de justice sociale qui ont inspiré le combat contre les fascismes, furent inscrits dans la Charte des Nations unies et reçurent le soutien des États-Unis et de l'URSS. En 1945, le mouvement de décolonisation s'imposa comme une exigence historique irrépressible et se précipita de manière souvent chaotique. En Asie tout d'abord, avec la désintégration rapide de l'Empire britannique, la guerre civile et la séparation brutale de l'Inde et du Pakistan, avec les désordres et violences marquant la fin de la colonisation hollandaise en Indonésie, avec la première guerre d'Indochine qui s'acheva à Diên Biên Phû en 1954. Le processus de décolonisation continua en Afrique du Nord, au Maroc, en Tunisie, et prit une tournure tragique en Algérie. En 1956, la France et l'Angleterre firent secrètement alliance avec Israël pour arrêter le cours de l'histoire et rétablir leur contrôle sur le canal de Suez. Ce fut un échec politique retentissant qui exacerba les passions nationalistes au Moyen-Orient et qui renforça dans le monde entier la vigueur des mouvements anti-impérialistes. Enfin, mal préparé, le temps des indépendances africaines arriva, entraînant une vingtaine de nouveaux États au sein des Nations unies. Par ailleurs, les États-Unis s'engagèrent dans la guerre du Viêt-nam, et cette «défense du monde libre» eut beaucoup d'analogie avec l'impérialisme du passé.

Ainsi, en quelques décennies, la scène de la politique mondiale changea profondément. Les États issus de la décolonisation furent des nouveaux acteurs de la scène mondiale. En 1952, l'économiste Alfred Sauvy les assimila au «tiers-monde», par analogie au «tiers état» de la Révolution française, et l'image fut aussitôt consacrée dans le langage courant. Leur souveraineté politique était incertaine, leur économie fragile. Ils entendaient pourtant s'imposer comme des acteurs à part entière de la politique internationale et marquer de leurs projets idéologiques et politiques l'évolution des relations internationales. Ils s'employèrent en premier lieu à secouer le joug des hégémonies impériales. En 1955, la conférence de Bandung manifesta de manière éclatante cette intention Un peu plus tard, en 1961, la conférence de Belgrade donna naissance au mouvement des pays non alignés. Les États d'Afrique et d'Asie voulaient échapper à l'emprise de la polarisation Est-Ouest, combattre les séquelles du colonialisme occidental, promouvoir un nouvel ordre politique mondial fondé sur la paix et la justice. Ils cherchaient à consolider leur assise politique en mobilisant leurs ressources nationales et l'aide étrangère pour accélérer leur croissance économique.

1.1. *L'inadéquation du paradigme «réaliste»*

Comment définir leur position, expliquer leur politique étrangère, analyser leurs formations conflictuelles ? La théorie « réaliste » s'était focalisée sur les conséquences de la guerre froide, mettant à jour des structures politiques fortement polarisées par l'antagonisme des grandes puissances. Ses principaux théoriciens n'avaient apparemment rien à dire sur le tiers-monde, encore moins sur des États dont l'histoire et les projets politiques n'entraient pas directement dans leurs schémas d'analyse traditionnels. Suivant leur perspective, ces nouveaux pays indépendants ne constituaient pas des acteurs à part entière de la politique internationale, et les conflits qui s'y déroulaient n'étaient que des séquelles d'un colonialisme passé ou un avatar de la guerre froide.

La problématique du tiers-monde fut d'emblée associée aux concepts de l'impérialisme et du développement. Or, la théorie « réaliste » n'avait pas poussé l'analyse de l'impérialisme sinon pour le réduire au besoin de domination inhérent à la nature humaine et aux ambitions étatiques fondées sur la quête de puissance. Certes, les études historiques sur la colonisation étaient nombreuses. Pour expliquer ses causes, elles offraient des hypothèses variées, mettant en avant des conjonctures politiques singulières, des forces économiques et des configurations idéologiques spécifiques. Cependant, en dehors des marxistes ou de quelques auteurs indépendants, peu de sociologues avaient tenté de comprendre l'impérialisme dans une perspective théorique cohérente. Or, ce phénomène, malgré la rapidité de la décolonisation, demeurait central dans la politique internationale.

1.2. *Le sous-développement*

En outre, la théorie « réaliste » n'offrait aucun cadre conceptuel pour éclairer les conditions et les finalités du développement. Or, les disparités économiques et sociales entre les régions du monde, notamment entre les pays industrialisés et les autres, devinrent un enjeu décisif de la politique internationale. Certes, ces disparités n'étaient pas nouvelles. Cependant, avec la croissance des réseaux de communication et d'échange, les distances entre les sociétés s'atténuaient, l'interdépendance entre États se renforçait, et ces écarts de développement devinrent source de querelles politiques et d'affrontements idéologiques. Les « pays en voie de développement » requirent l'aide des pays riches aux Nations unies, et les États-Unis mobilisèrent des ressources, et beaucoup de propagande, pour étendre leur sphère d'influence en Amérique latine et en Asie et pour enrayer l'influence du communisme dans ces régions.

Dans l'opinion courante, y compris celle de la majorité des experts, le sous-développement n'était pourtant pas vraiment une question de relations internationales, mais un problème d'économie, voire de sociologie, ou d'anthropologie. Ce processus n'était pas envisagé par rapport aux structures de l'économie et de la politique internationales. On le considérait avant tout dans ses dimensions étatiques. Selon cette perspective, la pauvreté était un retard économique et culturel, inhérent aux sociétés « arriérées », qu'il fallait combler en suivant la voie historique balisée par les pays industrialisés.

Les premiers théoriciens du développement étaient des économistes influencés par les idées de Keynes. La pauvreté entretenait un « cercle vicieux ». Pour la vaincre, les gouvernements des pays « sous-développés » devaient surmonter des obstacles structurels tels que le faible niveau d'épargne intérieur, un taux de croissance démographique élevé ; ils devaient créer les infrastructures permettant les investissements privés, encourager le processus d'industrialisation, améliorer la productivité de l'agriculture, développer un secteur tertiaire, donc réaliser les conditions qui étaient censées favoriser une « croissance auto-entretenue ». Cette politique exigeait la planification autoritaire des activités économiques. On admettait que les ressorts de l'économie de marché, tels que les investissements privés, le commerce, la libre entreprise, ne pouvaient suffire à répondre aux besoins des pays en voie de développement. L'aide extérieure, sous forme de coopération technique ou d'assistance financière, était indispensable dans cette phase initiale de la croissance. La création de pôles de développement, si possible industriels, avec les répercussions économiques et sociales qui étaient escomptées de cette stratégie volontariste, visait une croissance suffisante pour maîtriser à la longue les effets pervers de la démographie, et favoriser ainsi l'insertion progressive de ces pays dans l'économie mondiale. Dans le prolongement de ces idées, les théoriciens de la modernisation insistaient sur les changements institutionnels et culturels devant favoriser l'émergence d'un progrès économique et social conforme à celui des pays « développés ».

2. L'explication léniniste de l'impérialisme

C'est paradoxalement au moment où les empires coloniaux se désintégraient sous la poussée des mouvements de libération nationale que s'affirma une littérature renouant avec une explication marxiste de la politique internationale. Dans le creuset de la guerre froide, ce type de perspective n'avait pas attiré l'attention des politologues, car il semblait trop proche des discours stéréotypés de la propagande stalinienne. Cependant, l'actualité des questions coloniales au cours des années

soixante, la permanence des conflits et des régimes d'origine impérialiste, l'onde de choc de la révolution cubaine en Amérique latine, la
nature conflictuelle des processus de développement, conférèrent une
nouvelle audience à l'analyse marxiste des relations internationales.
Les fondateurs du marxisme, toujours attentifs aux grandes questions
de politique internationale de leur époque, ont approuvé le développement des principales «nations historiques» en Europe, et n'ont pas
condamné le mouvement d'expansion coloniale. Ils voyaient dans le
processus de colonisation un facteur de progrès objectif, car l'expansion
planétaire des modes de production capitalistes tendait à détruire des
structures économiques et sociales archaïques. Cependant, ils ont mis à
jour les polarisations sociales et les contradictions économiques inhérentes aux modes de production capitalistes, et ont annoncé la
décrépitude imminente de ce régime.

Cette dernière prédiction se révéla erronée. Vers la fin du XIXᵉ siècle,
le système capitaliste manifestait une grande vitalité. C'est aussi le
temps de nouvelles entreprises coloniales. Confrontés à ces phénomènes,
les disciples de Marx et d'Engels proposèrent alors une théorie de l'impérialisme et des guerres qui frappa par sa cohérence et sa valeur
heuristique. Reprenant les analyses marxistes sur la tendance à la
concentration des entreprises, des auteurs comme Hilferding,
Boukharine et Lénine montrèrent que ce processus engendrait une main-
mise progressive de la haute finance sur l'industrie. Le capitalisme
s'était transformé; il était passé au stade monopoliste de son développement, caractérisé par le rôle grandissant des banques sur l'organisation
de la production.

Ce mouvement de concentration sous l'égide de la finance poussait les
nations à se concurrencer de manière toujours plus vive pour la conquête
des marchés mondiaux. Le capital financier en venait en effet à investir
tous les rouages des États nationaux. Les gouvernements, prenant en
charge les intérêts des grands monopoles, s'employaient à protéger leurs
marchés par l'érection de barrières protectionnistes, et à conquérir aussi
d'autres espaces pour trouver de nouveaux marchés et assouvir leur
quête de profit. Cette expansion était d'autant plus nécessaire que les
progrès techniques et l'accroissement des échelles de production avaient
engendré une énorme accumulation de capitaux ne trouvant plus de
débouchés sur les marchés intérieurs. Elle était exigée aussi par la baisse
tendancielle des taux de profit. Dans la perspective marxiste, en effet les
profits s'obtiennent uniquement par l'exploitation des travailleurs. Or,
ces derniers jouaient un rôle déclinant dans une économie marquée par
les progrès de la science et des techniques. Par ailleurs, la quête de
matières premières, donc de sphères d'exploitation étrangères, était une
nécessité dans cette phase de l'évolution capitaliste. Les marxistes

expliquaient ainsi l'exacerbation des conquêtes coloniales, et la survie momentanée du capitalisme.

Lénine vit finalement dans cette compétition féroce entre les grandes puissances capitalistes la cause de la Première Guerre mondiale. Lorsqu'il rédigea son *Impérialisme, stade suprême du capitalisme* (1916), qui reprenait pour l'essentiel les conclusions de Hilferding et Boukharine, ou les thèses du libéral anglais J.A. Hobson, il faisait œuvre de stratège dans un mouvement révolutionnaire visant à la conquête du pouvoir en Russie. Sa victoire politique va donner à ses conclusions sur l'impérialisme une influence idéologique considérable. Désormais, l'analyse marxiste des conflits internationaux et des guerres de libération nationale se confondit avec les propositions de Lénine, figure historique de la révolution mondiale. La démarche scientifique céda le pas à la praxis militante, d'autant que les successeurs de Lénine n'eurent pas ses capacités intellectuelles et furent occupés à consolider ou étendre l'Empire soviétique. La pensée marxiste sur les relations internationales tendit à se figer dans l'ère stalinienne. Elle se résumait à quelques propositions tautologiques affirmant l'équivalence entre le capitalisme, la guerre et l'impérialisme.

3. L'analyse structuraliste de Prebisch

Après la Seconde Guerre mondiale, de nombreux travaux sur le développement vont être influencés par cette contestation de l'ordre économique issue de l'impérialisme occidental. Ils s'attachent à montrer la pérennité de l'impérialisme en concentrant leurs analyses sur la problématique du sous-développement. Ils trouvent une première source d'inspiration dans la contestation des conceptions dominantes du développement exprimée par l'économiste argentin Raoul Prebisch et par le groupe d'intellectuels qu'il réunit dans le cadre de la Commission économique pour l'Amérique latine des Nations unies (CEPAL). Prebisch n'est pas marxiste. Il se situe dans la mouvance de Keynes, mais il remet en cause la théorie libérale du commerce international et des avantages comparatifs. Contrairement aux thèses de Ricardo, raffinées par le modèle Hecksher-Ohlin et par Samuelson, la division internationale du travail entre les pays producteurs de matières premières et les pays industrialisés profite essentiellement à ces derniers. Prebisch met à jour des rapports de dépendance structurels entre le «centre» du système capitaliste international et la «périphérie» constituée par les pays du tiers-monde en montrant que les termes de l'échange (le rapport entre la valeur unitaire moyenne des exportations des pays sous-développés et la valeur unitaire moyenne de leurs importations) entre produits primaires et biens manufacturés ne cessent de se dégrader. Il s'ensuit que les pays de la périphérie doivent vendre toujours plus de matières premières pour obtenir les produits industrialisés nécessaires à leur croissance, d'autant que les modes de consommation des pays riches se répandent dans l'ensemble du monde. En effet, la structure de production des pays du tiers-monde est dans l'ensemble arriérée. Elle profite peu des progrès techniques et souffre d'un surplus chronique de main-d'œuvre, ce qui rend difficile la création de syndicats combatifs et tend à déprimer les salaires. Dans les pays industrialisés, au contraire, l'amélioration de la productivité profite à l'ensemble des salariés, car les syndicats et les intérêts corporatifs y sont puissants. Ces différences de productivité, associées à la dégradation des termes de l'échange, expliquent les niveaux inégaux de développement entre le « centre » et la « périphérie », l'hétérogénéité sociale des pays du tiers-monde, leur faible participation à la dynamique des progrès techniques, source de croissance et de richesse. Le sous-développement a certes des causes endogènes, il est toutefois entretenu par l'inégalité structurelle des échanges internationaux. Les pays de la « périphérie » ont une très faible autonomie de développement, dans la mesure où toute l'orientation de leur vie économique et politique est dépendante de l'étranger.

Dans son fameux rapport *Vers une nouvelle politique commerciale en vue du développement économique* rédigé pour la Première Conférence sur le commerce et le développement des Nations unies (CNUCED) qui se tient à Genève en 1964, Prebisch recommande une stratégie concertée de la communauté internationale pour contrer cette baisse tendancielle des termes de l'échange entre matières premières et produits industrialisés, donc une altération des règles de libre-échange, et une politique d'aide permettant aux pays en voie de développement de planifier la diversification de leur production, notamment par l'accélération de leur industrialisation, par la création d'industries capables d'approvisionner les marchés nationaux en se substituant aux importations de l'étranger.

4. Les théories néo-marxistes

Cette analyse va être reprise dans un courant de pensée disparate dénommé « école de la dépendance » où se retrouvent des économistes et des sociologues qui contestent le modèle libéral du développement, et qui se situent le plus souvent dans la tradition marxiste-léniniste. Ils s'attachent à comprendre les fondements structurels de ces rapports inégaux, les hiérarchies de pouvoir qui en découlent, les conflits qu'ils provoquent. Dans leur perspective, le sous-développement s'explique par la reproduction à l'échelle mondiale des rapports d'exploitation capitaliste ou simplement par les relations inégales entre le « centre » et la « périphérie ». La pauvreté, la faiblesse des structures politiques et sociales, ne sont pas la conséquence d'un retard dans le processus de modernisation. L'«arriération» des formations sociales périphériques s'inscrit au contraire dans la logique de l'impérialisme, dans l'expansion d'un système dominé par les États-Unis et leurs alliés. Développement et sous-développement font partie d'un même processus historique. Cette position marque une rupture avec la pensée de Marx.

Ainsi, d'après ces théories néo-marxistes ou «dépendantistes», l'impérialisme perdure malgré l'accélération évidente du mouvement de décolonisation, car il est inhérent à la dynamique du système capitaliste. Il continue de créer les conditions de la misère et de la marginalisation sociale, de la dépendance politique, de la répression intérieure et de la guerre. La polarisation des relations internationales découle non seulement des rapports de forces, comme le suggèrent les «réalistes», mais avant tout des structures d'interdépendance asymétrique entre les grandes métropoles capitalistes du «centre», et les pays qui sont à la «périphérie» de ce système. Cette polarisation est complexe, car il existe dans les pays exploités des «bourgeoisies *compradoras*» qui sont de fait liées aux classes dirigeantes des pays industrialisés du «centre», et qui jouent le rôle de relais de l'impérialisme dans les pays du tiers-monde. J. Galtung a proposé le schéma suivant pour caractériser cette exploitation.

▲ La structure de l'impérialisme

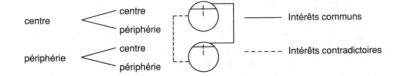

Source : *A Structural Theory of Imperialism, Journal of Peace Research,* 1971, vol. 8, p. 84.

Les théoriciens prolongent également les thèses léninistes en expliquant l'impérialisme par les contradictions fondamentales du système capitaliste. Parmi ces dernières, figure toujours la baisse tendancielle du taux de profit. Les capitalistes ont besoin d'écouler dans le tiers-monde leur surplus de capitaux. Certes, la proposition n'est pas facile à démontrer, car on sait que les mouvements de capitaux privés se dirigent de préférence vers les régions industrialisées. Malgré cette prédilection, les capitalistes restent attirés par des placements de capitaux dans les pays en voie de développement en raison des hauts profits qu'ils peuvent attendre de leurs investissements, profits dont le rapatriement crée des flux financiers nets de la périphérie vers le centre, phénomène qui est devenu courant avec la crise de la dette.

Le capitalisme se caractérisant par une contradiction permanente entre la capacité de produire et celle de consommer, les pays industrialisés doivent rechercher de nouveaux marchés dans le tiers-monde, et y maintenir leurs sphères d'influence économique et politique. Cette logique engage aussi l'État à soutenir les secteurs des industries d'armement caractérisés par des taux de profit élevés. Pour justifier cette politique, il faut créer une atmosphère de crise internationale et susciter ainsi des raisons pour la croissance du militarisme. La guerre froide, la course aux armements qu'elle engendre, sont une même manifestation de cette stratégie impérialiste. C'est notamment la thèse défendue par Paul Baran et Paul Sweezy dans *Le Capitalisme monopoliste* (Paris, Maspéro, 1970). Ces auteurs contestent que la loi de la baisse tendancielle du taux de profit soit encore valable à l'ère du capitalisme des monopoles.

La quête de matières premières constitue également une explication de la perpétuation des rapports impérialistes. Les grands pays industrialisés dépendent de certaines matières premières stratégiques, en particulier du pétrole. Elles doivent en conséquence s'assurer le contrôle des régions disposant de ces ressources. Les interventions armées dans le tiers-monde, de la guerre du Viêt-nam à celle du Golfe, en passant par les engagements militaires de la France au Tchad et au Zaïre, pourraient illustrer cette volonté de contrôler des régions d'importance vitale pour l'économie des pays capitalistes avancés.

5. Les moyens de l'impérialisme

Les instruments de cette exploitation sont divers, mais convergents. Parmi ceux-ci, l'échange inégal qui condamne les pays de la «périphérie» à l'exportation de matières premières ou de produits semi-finis impliquant un faible degré de transformation contre des biens manufacturés. Cette situation est un héritage de la domination coloniale, car les métropoles ont favorisé dans leur empire la monoculture ou l'extraction minière sans permettre la création de conditions de production diversifiées. Par ailleurs, les gouvernements des pays riches entravent souvent le fonctionnement du libre-échange. En effet, lorsque les entreprises du tiers-monde deviennent concurrentielles sur leurs marchés nationaux, ils érigent des barrières protectionnistes contre ces produits de la «périphérie».

5.1. *Le rôle des organisations internationales*

Dans cette perspective, les organisations internationales sont également un relais de la domination impérialiste. Le FMI et la Banque mondiale jouent un rôle particulier à cet égard, en obligeant les pays pauvres à suivre des modèles de développement de type libéral, imposant des conditions rigides à l'octroi de leurs crédits. Les stratégies de développement qu'elles préconisent sont dans l'intérêt des pays industrialisés. Elles visent aussi au profit des classes dirigeantes du tiers-monde et à la marginalisation des couches les plus pauvres de la population. En outre, les organisations internationales du système des Nations unies contribuent, par les normes qu'elles produisent, les idées qu'elles propagent, les programmes de coopération technique qu'elles soutiennent, à la défense du système capitaliste. Elles favorisent aussi la corruption des élites du tiers-monde en créant les conditions de leur intégration au cercle des classes dirigeantes des pays riches.

5.2. *Les entreprises transnationales*

Ces entreprises sont devenues un instrument privilégié de la domination impérialiste. Elles ont pris une expansion considérable après la Seconde Guerre mondiale, notamment aux États-Unis, grâce aux interventions gouvernementales visant à réduire les fluctuations cycliques de l'économie, grâce aussi aux progrès des sciences et des techniques stimulés par la course aux armements. Ces grandes sociétés, dont les centres de gestion et de production sont désormais internationaux, sont organisées le plus souvent sous la forme de conglomérats et dominent les secteurs de la production industrielle et des services. Elles agissent à l'échelle mondiale, en encourageant les tendances à la concentration monopolistique du pouvoir économique. Elles rendent impossible tout processus de développement endogène puisqu'elles s'emploient à pénétrer les formations sociales et l'économie des pays de la «périphérie» pour les intégrer dans le marché capitaliste. Leur implantation dans le tiers-monde vise à contrôler des sources d'approvisionnement en matières premières, mais aussi à prendre des positions dominantes sur les marchés de la périphérie, en contournant les barrières protectionnistes, en utilisant une main-d'œuvre peu rémunérée. Elles contribuent aussi à la diffusion de modes de consommation inadaptés aux conditions de vie de ces pays.

Leur conquête des marchés de la «périphérie» a suivi une stratégie cohérente. Elle a commencé au temps de la colonisation, par l'exploitation des matières premières. Les entreprises industrielles ont aussi exporté leurs produits dans le tiers-monde en y établissant des points de vente. Elles se sont efforcées ensuite de fabriquer sous licence leurs produits ou certains de leurs éléments. Enfin, par la création de nouvelles filiales, elles se sont employées à prendre le contrôle du producteur local et parfois de ses concurrents les plus directs. Par les moyens financiers dont elles disposent, par leurs ressources techniques, elles sont parvenues à détruire ou absorber les entreprises locales, empêchant les gouvernements de la périphérie de poursuivre un développement indépendant. En dénationalisant les économies de la «périphérie», elles accentuent aussi les polarisations sociales et contribuent ainsi à la paupérisation des couches défavorisées, à l'extension d'un secteur dit «informel» qui échappe à toute protection sociale et qui comprend aussi bien la prostitution et la petite criminalité que des activités occasionnelles et mal rémunérées, en partie assumées par des enfants. Ainsi, les entreprises transnationales manifestent une nouvelle forme d'exploitation, tendant à poursuivre l'expansion planétaire des monopoles qui s'emploient à réaliser leur «plus-value» dans l'ensemble de la planète. Elles ne cessent d'accentuer les structures d'inégalité et de dépendance caractérisant la société internationale. C'est tout au moins la thèse des auteurs marxistes.

5.3. *L'emprise idéologique*

Ces entreprises ont beaucoup investi pour accroître leur influence dans la sphère idéologique et culturelle. Armand Mattelart a mis à jour ce phénomène, notamment dans son ouvrage *Multinationales et systèmes de communication* (Paris, Anthropos, 1976). Soutenues par les gouvernements, elles ont assuré leur prépondérance dans les domaines de l'électronique et des réseaux de communication les plus modernes, par satellite notamment. Elles ont parallèlement développé une stratégie de prise de contrôle des média — groupes de presse, maisons d'édition, chaînes de télévision — pour accroître leur influence idéologique et infléchir les modes de consommation. En dominant ces secteurs de l'information et de la production culturelle, elles s'emploient à créer des habitudes de consommation, à susciter des attitudes déterminant la conformité aux modèles politiques dominants. Ces investissements montrent l'importance qu'elles accordent aux processus de socialisation. Les opinions publiques dans les pays industrialisés expriment désormais une vision convergente de l'économie et de la politique, dans l'éventail d'un pluralisme de façade.

Les effets de cet impérialisme sont surtout manifestes dans les pays du tiers-monde qui sont envahis de programmes éducatifs de nouvelles, de séries télévisées, de périodiques véhiculant des modes de pensée et des besoins de consommation aliénants. Le cas du lait en poudre de Nestlé est significatif à cet égard : cette société a dépensé des ressources importantes pour vulgariser l'idée parmi les femmes du tiers-monde, notamment en Afrique, qu'il était préférable de nourrir les bébés avec du lait en poudre plutôt qu'au sein maternel, encourageant ainsi une pratique dangereuse pour la vie des nourrissons dans les régions où l'eau n'est pas potable.

Les sociétés transnationales ne se sont pas contentées d'étendre l'hégémonie du système capitaliste par des moyens économiques et culturels. Elles n'ont pas hésité à user de leur influence à des fins manifestement politiques. Ainsi, le gouvernement des États-Unis a engagé la CIA dans des activités subversives en Iran, au Guatemala, au Chili, pour déstabiliser des régimes considérés comme hostiles aux intérêts économiques américains, à ceux d'importantes entreprises transnationales notamment. Le rôle de la société International Telephone Company (ITT) dans la déstabilisation du régime Allende au Chili, les liens qu'elle a établis à cet effet avec le gouvernement américain et la CIA, ont été mis à jour au début des années soixante-dix.

5.4. Un processus d'exploitation séculaire

La plupart des études marxistes sur le sous-développement s'appuient sur une démarche historique. Dans *Le Développement du sous-développement : l'Amérique latine* (Paris, Maspéro, 1970), André Gunder Frank s'est employé à montrer, réfutant les thèses marxistes orthodoxes, que l'exploitation de l'Amérique latine était un long processus commençant avec la conquête espagnole et portugaise. Les relations commerciales avec les métropoles ont toujours été inégales, déterminées par les besoins des bourgeoisies du centre. Il entend démontrer que les régions aujourd'hui les plus pauvres furent antérieurement les plus riches et les plus exploitées par les métropoles coloniales. Le sous-développement s'expliquerait ainsi dans l'analyse historique du système capitaliste. Fernando Henrique Cardoso et Enzo Falletto développent des thèses analogues, quoique plus nuancées dans *Dépendance et développement en Amérique latine* (Paris, PUF, 1978).

Immanuel Wallerstein dans *Le Système du monde du XVIᵉ siècle à nos jours* (Paris, Flammarion, 1980-1985) s'est efforcé de prolonger les travaux de Braudel sur l'espace économique méditerranéen en s'engageant dans une histoire du «système-monde». Selon cet auteur, le trait caractéristique de la société internationale s'exprime dans l'existence d'une même économie capitaliste, dont l'histoire remonte au XVIᵉ siècle et qui influence désormais toutes les parties du monde. La division en nations est un phénomène secondaire. Les sociétés étatiques n'ont pas d'autonomie propre ; elles font partie d'un même ensemble. L'évolution des relations internationales trouve son explication dans l'histoire du système capitaliste. Ce régime économique a créé une société planétaire qui constitue un ensemble étroitement interdépendant, marqué par les contradictions dialectiques entre la richesse des pays capitalistes avancés et l'arriération économique des masses opprimées. L'inégalité entre États tient à la division internationale du travail, au rôle spécifique que jouent chaque région, chaque pays, dans l'économie mondiale. Cette dernière comprend un «centre», une «périphérie», une «semi-périphérie». Les frontières politiques correspondent à ces divisions qui reflètent l'évolution de l'économie capitaliste. Or, le développement inégal est inhérent à ce système qui connaît des cycles d'expansion et de régression. Wallerstein voit la reproduction de ces mouvements dans l'hégémonie de certains États, domination qui correspond à une grande concentration de monopoles économiques, mais qui est généralement suivie par une phase de déclin, où les tendances monopolistiques se diffusent, et où renaît la compétition entre centres de pouvoir politique.

Une chose est incontestable : le système capitaliste se déploie plus que jamais à l'échelle planétaire, et entraîne les économies nationales dans un même marché, dont les phases d'expansion ou de récession affectent tous les pays. Le système capitaliste n'a d'autre finalité que le profit. Il est fondé sur des relations d'exploitation entre classes, une compétition sans limite entre les individus et les entreprises. Il est dominé par un État qui n'a d'autre fonction que de promouvoir une économie de marché anarchique. Ces caractéristiques du capitalisme ne peuvent être altérées.

5.5. *L'audience politique de ces théories*

Les débats suscités par les théories de l'impérialisme et de la dépendance ne furent pas cantonnés aux milieux académiques. Ces théories ont trouvé une grande audience parmi les sphères dirigeantes de l'Amérique latine, y compris dans les milieux nationalistes de droite. Dans la mesure où leur contestation des structures du système mondial débouchait sur des modèles de planification autoritaires et nationalistes, elles ont aussi contribué au climat idéologique dont se sont nourries les dictatures du tiers-monde. Elles ont eu un grand retentissement aux Nations unies parmi les délégations des pays en développement, ces théories inspirant le programme de Nouvel Ordre économique international (NOEI) lancé par l'Assemblée générale des Nations unies en 1974. La déclaration de l'Assemblée générale proclamant alors «l'instauration» de ce nouvel ordre affirmait notamment : «L'écart entre les pays développés et les pays en voie de développement ne cesse de croître dans un monde régi par un système qui remonte à une époque où la plupart des pays en voie de développement n'existaient même pas en tant qu'États indépendants et qui perpétue l'inégalité.»

5.6. *Les critiques*

Ces théories ont souligné un aspect fondamental des relations internationales que les «réalistes» ont souverainement ignoré : les modes de production capitalistes et les rapports de classe qui en découlent se déploient à l'échelle planétaire. Elles ont mis à jour des relations économiques structurelles asymétriques et inégales entre les pays industrialisés et le tiers-monde, élargissant beaucoup l'analyse du sous-développement et l'étude des régimes politiques dans les sociétés périphériques, en éclairant l'interaction entre les structures nationales et internationales, en soulignant que l'histoire des pays dépendants est entraînée par une dynamique socio-économique qui leur échappe et qui est contrôlée par les sphères dirigeantes des grandes puissances industrielles. Elles ont montré l'insuffisance des analyses politiques centrées sur les seuls rapports interétatiques. Elles ont proposé un cadre conceptuel qui a enrichi la compréhension des rapports de domination entre le Nord et le Sud, et auquel plusieurs auteurs non-marxistes vont faire des emprunts.

On leur a reproché leur schématisme, la faiblesse de leur démarche empirique, leur rupture avec la dialectique marxiste qui met en évidence la nature progressiste du développement capitaliste. Ces théories ne furent pas homogènes ; elles furent souvent contradictoires ; elles ont baigné dans un militantisme « tiers-mondiste » qui n'a pas favorisé la rigueur de leur démarche. Dans les années quatre-vingt, elles ont perdu de leur audience, et les études visant à leur réactualisation sont rares. On peut expliquer ce phénomène par la répression qui s'est abattue en Amérique latine, notamment au Chili et en Argentine, sur les institutions et les chercheurs qui ont inspiré ce courant de pensée. On doit ajouter que l'influence des théories d'inspiration marxiste a été affectée par le discrédits puis par l'effondrement des régimes de type soviétique et par l'échec économique et politique des dictatures du tiers-monde. La crise de la dette et les politiques d'ajustement structurel qui ont été engagées sous l'égide du FMI et de la Banque mondiale, et avec les soutiens du gouvernement et des milieux financiers des pays de l'OCDE, ont eu pour effet de discréditer les politiques de développement de nature dirigiste. Dans ce contexte, le modèle des nouveaux pays industrialisés, qui ont opté pour des stratégies de développement extraverties, a inspiré une remise en cause des projets nationalistes de l'école de la dépendance. Une vague de libéralisation économique déferla sur la plupart des économies des pays en voie de développement, diminuant l'attrait des théories de la dépendance. En 1994, Fernando Henrique Cardoso, qui avait été un des principaux protagonistes de la perspective « dépendentiste », devint président du Brésil pour réaliser un programme de gouvernement qui empruntait beaucoup aux idées néo-libérales. Ce changement d'orientation symbolisa autant le ralliement de certains intellectuels aux idées dominantes liées à l'hégémonie américaine, que l'effondrement, peut-être temporaire, des analyses structuralistes du sous-développement.

6. Expansion du régime capitaliste

Les sphères dirigeantes des pays industrialisés, ainsi que les experts et les institutions internationales qui leur sont liés, ont contesté les idées propagées par les théories de l'impérialisme, s'employant à prouver que les pays en voie de développement avaient dans l'ensemble progressé. D'après l'OCDE, de 1960 à 1984, la croissance du PIB par habitant aurait été de 2,8 % en moyenne pour l'ensemble de ces pays, à l'exclusion de la Chine et des États exportateurs de pétrole. La moyenne aurait été de 3,4 % si on les avait pris en compte. Au cours de ces décennies, le PNB des pays en voie de développement aurait cru en moyenne annuelle de 5,6 %, dépassant l'augmentation rapide de leur population. Cela signifierait un doublement du revenu par habitant entre 1960 et le début des années 1980. En excluant la Chine et les pays exportateurs de pétrole de ces calculs, on arriverait à 5,1 %, ce qui représenterait une augmentation de 75 % du PNB par habitant. Au début des années quatre-vingt, malgré la récession, les pays en voie de développement produisaient six fois plus de biens et services qu'en 1950. La part des marchés des pays de l'OCDE revenant aux biens manufacturés en provenance de ces pays est passée de 7,1 % en 1955 à 17,8 % en 1981. Le rythme de croissance du secteur agricole a été en revanche beaucoup plus lent que prévu, la plupart des gouvernements ayant poussé des stratégies de développement fondées sur l'industrie lourde et l'exploitation minière. Le revenu par habitant des pays en développement a fortement augmenté depuis 1945.

Au cours des dernières décennies, les pays de l'Asie de l'Est, dont la Chine, l'Indonésie, et plus récemment l'Inde, pays de grande importance démographique, ont connu des taux de croissance économique très remarquables, liés à l'afflux d'investissements étrangers et à la libéralisation rapide de leurs économies, à la croissance de leurs échanges internationaux. La proportion des gens vivant dans le dénuement aurait de ce fait diminué de manière substantielle.

L'organisation du Programme des Nations unies pour le développement (PNUD) a diffusé des indicateurs de «développement humain» reflétant l'éducation, la santé, l'hygiène, l'espérance de vie pour montrer les progrès sociaux qui ont été accomplis au cours des dernières décennies. En 1950, le tiers seulement de la population adulte des pays en voie de développement était alphabétisé. En 1994, cette proportion atteignait 70 %. Le taux de scolarisation dans l'enseignement primaire est passé de 48 % en 1960 à 77 % en 1980, à l'exclusion de la Chine où il atteint quasiment 100 %. Au cours des quatre dernières décennies, l'espérance de vie sur la planète est passée de 53 à 63 ans.

7. Le nouveau rôle des entreprises transnationales

Est-ce à dire qu'il faille abandonner l'idée d'inscrire un programme de recherches en relations internationales dans le cadre des théories de la dépendance? C'est le point de vue de John Stopford et Susan Strange dans *Rival States, Rival Firms,* qui soutiennent, au début des années 1990, qu'aucun pays n'est condamné à produire des matières premières.

Ils prétendent démontrer que toutes les économies nationales sont désormais dépendantes du marché mondial créé par les entreprises transnationales. Face aux nouvelles contraintes de l'économie libérale, tous les gouvernements, au Nord comme au Sud, obéiraient à l'impératif du «sauve-qui-peut».

L'intégration du monde sous l'égide de ces forces économiques ne semble guère contestable. Cependant, les transformations récentes de l'économie mondiale n'ont pas modifié certaines des polarisations sociales mises à jour par les théoriciens de la dépendance. Ces mutations ont même accru la prépondérance économique et politique des pays développés sur les pays pauvres, élargi l'écart qui les séparait quant à leurs capacités respectives d'assurer la croissance économique et le bien-être social.

Les entreprises transnationales jouent un rôle déterminant dans cette évolution ; il est donc impossible de dissocier leur expansion des polarisations marquant l'économie internationale. Elles ont continué leur processus de concentration oligopolistique. D'après les études du centre des transnationales des Nations unies, on assiste à nouveau depuis le milieu des années quatre-vingt à une croissance énorme des fusions-acquisitions d'entreprises. En Europe, la perspective du marché unique a précipité le mouvement. Il concerne souvent les grandes entreprises qui veulent encore accroître leur taille pour assumer les frais de recherche-développement (R & D) et pour élargir leur base internationale. Racheter une entreprise devient un moyen de s'implanter à l'étranger, d'accéder à des circuits de distribution, d'acquérir de nouvelles techniques. On voit aussi se dessiner des accords interentreprises, par exemple pour développer des techniques communes ou certains produits. Ils sont fréquents dans l'électroniques la chimie, l'automobile.

Ces entreprises déploient leurs activités dans l'ensemble du monde. Cependant, les flux d'exportations et les investissements directs vont pour l'essentiel dans les trois ensembles économiques constitués par l'UE, le Japon et les États-Unis. En dehors de cet ensemble, ils concernent principalement une dizaine de pays en voie de développement. Les marchés de cette «triade» présentent à cet égard toutes les garanties de sécurité. Ils offrent aussi des infrastructures en matière de formation et de recherche qui leur assurent un réservoir de main-d'œuvre qualifiée. Ils sont devenus très semblables, du fait de l'homogénéité des niveaux de vie et des modes de consommation, de la diffusion des technologies. Les mouvements économiques contrôlés par ces entreprises structurent la majeure partie du commerce mondial, des flux financiers et des transferts de technologie. Ainsi, les entreprises transnationales occupent une position centrale dans la dynamique des changements économiques. Selon la CNUCED, leur nombre était d'environ 45 000, contrôlant quelque 280 000 filiales, contre à peine 7 000 vingt ans plus tôt, ce nombre ne comprenant pas les sociétés financières. Les ventes qu'elles ont réalisées en 1995 en dehors de leurs pays d'origine aurait atteint 7 000 milliards de dollars, soit un montant nettement supérieur à celui des exportations mondiales de biens et de services. Ces entreprises contrôleraient le tiers environ des avoirs productifs détenus par le secteur privé dans le monde, quelques centaines d'entre elles jouant à cet égard un rôle prépondérant. Elles assumeraient près des trois quarts des échanges mondiaux des biens manufacturés, dont une bonne partie consisterait en un commerce qu'elles feraient à l'intérieur de leur groupe ou dans le réseau constitué par leurs filiales. Ainsi, les firmes américaines à l'étranger vendraient plus du double de ce que les États-Unis exportent. Au Mexique, ces dernières contrôleraient plus de 40 % du commerce avec les États-Unis. Une partie des exportations des nouveaux pays industrialisés provient d'entreprises étrangères, japonaises, européennes, américaines qui se sont appropriés les techniques, les savoir-faire, les réseaux de ventes des firmes des pays développés. Les sociétés transnationales jouent un rôle croissant aussi bien dans la politique intérieure des États que dans la dynamique des relations internationales.

8. L'État et le marché

Ces mutations ont favorisé le développement de grands ensembles économiques. L'Union européenne accélère son processus d'intégration et s'efforce d'élargir son espace économique en direction du reste de l'Europe, les États-Unis établissent une vaste zone de libre-échange avec le Canada et le Mexique (ALENA); le Brésil, l'Argentine, le Paraguay et l'Uruguay créent le MERCOSUR, une forme de marché commun du cône sud de l'Amérique latine; le Japon étend son influence sur une partie de l'Asie du Pacifique. Ces processus d'intégration économique annoncent peut-être à terme la création de blocs protectionnistes, et accentuent la compétition entre les principaux pôles de croissance économique, tout en renforçant paradoxalement les liens d'interdépendance entre les États.

Ces transformations structurelles de l'économie mondiale ont changé également la configuration politique de la scène internationale. Elles ont contribué à la désagrégation de l'Empire soviétique. En effet, les régimes marxistes n'ont pas été capables de s'adapter aux exigences de l'«âge postindustriel», ni de surmonter leurs contradictions économiques et sociales. Le gouvernement de la Chine encourage les progrès de l'économie de marché tout en réprimant l'avancée des forces de contestation politique. La majorité des pays du tiers-monde doivent se plier aux lois de la libre entreprise.

Confrontés à ces mouvements d'intégration, les gouvernements perdent une partie de leur autonomie en matière économique et parfois même une part de leur indépendance politique. L'expansion des entreprises transnationales amenuise en effet le rôle des frontières. La capacité des États de gérer leurs propres économies en se fixant des priorités nationales dans les domaines de la fiscalité et dans la définition de leurs politiques publiques s'amenuise au fur et à mesure que se développent ces activités transnationales. Pour attirer les investissements étrangers, pour favoriser la compétitivité de leurs entreprises nationales, ils doivent se résoudre à diminuer la protection sociale des travailleurs. Au cours des années quatre-vingt, presque tous les gouvernements ont suivi des politiques monétaires analogues et ont fait les mêmes efforts pour limiter leur taux d'inflation et pour réduire leurs dépenses sociales.

L'État et le marché, celui des sociétés transnationales, continuent certes d'obéir à des logiques différentes. Le premier impose sa domination sur un espace géographique dans le but d'y organiser la vie collective, le second s'emploie à créer des richesses matérielles en accumulant des profits sur la production et les échanges. Toutefois les sphères de leurs activités et de leurs intérêts se recoupent, puisqu'il n'est pas de marché sans un minimum d'ordre public, et qu'il n'est pas d'État stable sans le développement des conditions matérielles propices à l'exercice de son autorité politique. Les gouvernements gardent encore un rôle décisif dans la régulation de l'économie internationale, mais l'orientation de leur politique paraît aussi dictée par l'intérêt de ces entreprises. L'expansion des entreprises transnationales, leur déploiement à l'échelle planétaire, sont rendus possibles par la création d'un ordre mondial favorable à cette évolution. Ainsi les États-Unis et leurs principaux alliés s'efforcent de créer partout dans le monde un environnement politique et social propice à l'économie de marché. Ils encouragent chez eux le développement des infrastructures de formation et de recherche permettant les progrès scientifiques et techniques nécessaires à la croissance de l'activité économique. L'Union européenne soutient de nombreux programmes de coopération technologique entre les centres de recherche et les entreprises dans les domaines de l'énergie, de l'information, des télécommunications, des transports, des lasers, de l'environnement, des biotechnologies. Par ailleurs, les États interviennent directement pour renforcer la position de leurs propres entreprises dans la compétition internationale : garanties de risques à l'exportation, commandes, subventions diverses, négociations de clauses commerciales dans les institutions internationales, développement d'infrastructures et contrats de recherches profitant à leurs entreprises transnationales. Ces dernières créent des emplois et de la richesse, les

États ont intérêt à les défendre, voire à favoriser leur processus de concentration oligopolistique. Les entreprises transnationales tiennent désormais le haut du pavé : les efforts qui avaient été déployés dans le cadre de l'OCDE ou des Nations unies pour soumettre leurs activités à des «codes de conduite» ont échoué. L'idéologie néo-libérale, qui domine aujourd'hui le champ de l'économie internationale, crée un climat favorable à cette absence de régulation dont les conséquences sociales sont souvent lamentables.

9. La marginalisation des pays pauvres

Ces changements structurels ont aggravé la dépendance des pays pauvres ou ce que la CNUCED appelle «l'interdépendance asymétrique». Les prix des matières premières n'ont cessé de décliner au cours des dernières années, notamment du fait de l'invention de produits synthétiques et de la diminution de ces produits de base dans la fabrication des objets de consommation courante. En conséquence, les termes de l'échange entre les pays en voie de développement et les pays industrialisés se sont altérés de 1982 à 1990. Par ailleurs, le facteur «travail» jouant un rôle plus faible qu'auparavant dans les coûts de production, l'avantage comparatif des pays en voie de développement tend à diminuer. Les politiques agricoles protectionnistes de l'Europe et des États-Unis entravent aussi leurs exportations de viande et de céréales. La CNUCED a évalué que le coût total des barrières protectionnistes érigées par les pays développés pour défendre leur production agricole s'élevait à des centaines de milliards de dollars, ce qui représente six fois le montant total de l'aide publique au développement qu'ils accordent aux pays pauvres. L'Afrique, le Moyen-Orient ont aujourd'hui une place négligeable à cet égard, et sont dans une position de marginalisation croissante par rapport aux principaux pôles de développement économique. On constate qu'un nombre grandissant de pays pauvres, notamment ceux d'Afrique, sont réduits à des conditions de mal développement tragiques. La plupart d'entre eux n'ont pas les moyens de maintenir des institutions de formation et de recherche permettant à leurs élites et à leurs entreprises de participer sur un pied d'égalité à la compétition économique internationale. Or, la science et la technique jouent un rôle déterminant dans la production de richesses. L'économie mondiale est en effet dynamisée par une révolution dans les systèmes de production, associée aux progrès rapides de l'électronique, du traitement de l'information, de la robotisation, des télécommunications, des biotechnologies. Les secteurs de haute productivité sont fondés sur des ressources humaines dont les pays industrialisés disposent en abondance ; ils bénéficient des meilleures infrastructures éducatives, des centres et laboratoires de recherche les plus performants, des capacités pour financer les applications pratiques de ces nouvelles technologies, moyens dont la plupart des pays du tiers-monde sont démunis.

9.1. *L'endettement*

La crise de l'endettement perpétue cette dépendance. Le phénomène n'est pas nouveau. Le développement économique des États-Unis ou de la Russie jusqu'en 1914 en témoigne. Pour accélérer leur croissance économique, de nombreux pays du tiers-monde se sont endettés. Ce mouvement s'est beaucoup amplifié dans les années soixante-dix, notamment à la faveur de la crise pétrolière. Le quadruplement du prix du pétrole en 1973, qui augmenta considérablement le déficit commercial des pays du tiers-monde, le déclin des aides publiques au développement ont renforcé leur tendance à l'endettement. Les emprunts étaient d'accès aisé. Les pays de l'OPEP avaient des ressources financières considérables que leurs économies ne pouvaient absorber, leurs capacités d'investissement étant limitées. Ils ont donc placé leur argent dans les banques du Nord, qui elles-mêmes se sont efforcées de les réinvestir, notamment dans les pays pauvres requérant de nouvelles sources de financement. Or, ces placements favorisés par le recyclage des «pétrodollars» furent souvent improductifs, car ils ont été utilisés pour financer des entreprises peu rentables, pour créer des infrastructures inadaptées aux besoins réels des pays concernés, pour augmenter artificiellement le pouvoir d'achat de la population, pour soutenir des dépenses militaires. En outre, la corruption des classes dirigeantes des pays débiteurs a encouragé la fuite des capitaux empruntés. Ainsi, l'argent qui provenait des pays de l'OPEP était déposé dans les banques américaines ou européennes, qui proposaient des prêts aux gouvernements ou entreprises du Sud, qui les replaçaient à leur tour au Nord. La dette fut multipliée par cinq entre 1970 et 1980. Or, au début des années quatre-vingt, les autorités américaines ont adopté une politique monétaire restrictive entraînant une très forte hausse des taux d'intérêt. Leur objectif était d'attirer des capitaux extérieurs afin de corriger le déficit de la balance commerciale des États-Unis. Par ailleurs, la baisse du cours des matières premières diminua la capacité des pays endettés de supporter la charge de leur dette. Pendant ce temps, le prix du pétrole a décru, affectant également les revenus des pays de l'OPEP. Dès lors le seul paiement des intérêts de la dette devint très difficile, sans même parler du remboursement du capital. En 1982, le Mexique se déclara insolvable, précipitant une crise financière qui risquait de tarir les prêts de banques privées aux pays endettés.

En conséquence, la crise de l'endettement a eu des effets désastreux pour de nombreux pays du Sud au cours des années 1980 («la décennie perdue»). Une part considérable de leurs recettes d'exportation fut désormais consacrée au service de la dette au point que, certaines années, les flux financiers nets sont allés du Sud au Nord. Durant cette décennie, plus des deux tiers des pays en voie de développement ont connu un déclin de leur revenu par habitant. Cette dégradation des conditions de vie est allée de pair avec une baisse substantielle de la production, de l'emploi et des investissements.

9.2. Les politiques d'ajustement structurel

Le service de la dette a naturellement aggravé la dépendance économique et politique des États d'Afrique, d'Amérique latine ou d'Asie à l'égard des pays riches. Son rééchelonnement impliqua à la fois des acteurs gouvernementaux, des entreprises transnationales et des institutions intergouvernementales. Pour obtenir de nouvelles ressources, nécessaires à leur développement, les pays endettés durent se plier aux conditions des institutions internationales, en particulier à celles du FMI et de la Banque mondiale, conditions qui reflétèrent les exigences des grandes puissances financières et de leurs banques. Les politiques d'«ajustement structurel» qu'elles préconisèrent ont défini les modalités d'insertion de ces économies affaiblies dans le système économique mondial. Plus de 70 pays ont été contraints de se plier à des programmes d'ajustement structurel conduits sous l'égide du FMI et de la Banque mondiale durant les années quatre-vingt. Ils ont dû dévaluer leur monnaie, limiter par ce biais leurs importations, donc leurs investissements, stimuler leurs exportations, ouvrir leurs économies aux investissements étrangers risquant ainsi de dénationaliser leur appareil productif. Ils ont dû surtout mettre en œuvre des mesures d'austérité sévères, restreindre les dépenses publiques, frappant ainsi la majeure partie de la population, notamment les couches les plus défavorisées. Avec l'appui du gouvernement américain et des institutions financières internationales, les sphères dirigeantes firent supporter tout le poids de l'ajustement aux groupes les plus vulnérables de leur population, à ceux qui n'avaient pas les capacités d'infléchir l'action de leur gouvernement, sans se priver de dénoncer de manière démagogique les exigences du FMI et de la Banque mondiale. Les mesures de libéralisation qui ont été poursuivies à la suite des mesures d'ajustement structurel ont beaucoup aggravé les disparités de salaires et partant, les inégalités sociales en Amérique latine, notamment au Chili et au Mexique. Ces contraintes furent unilatérales : les pays créanciers n'eurent pas la même obligation de suivre des politiques d'ajustement structurel pour les pousser à limiter les barrières protectionnistes qu'ils érigeaient contre les produits industriels ou agricoles des pays endettés. Les États-Unis ne furent pas soumis aux exigences du FMI ou de la Banque mondiale alors que leur politique fiscale et budgétaire laxiste créa beaucoup de désordres dans l'économie mondiale.

Théoriquement, les pays débiteurs auraient pu refuser d'honorer leurs créances, qui étaient aussi entretenues par le mauvais fonctionnement du système monétaire international. Les bolcheviks n'ont pas payé la dette contractée par le gouvernement et les entreprises du régime tsariste. Le président cubain, Fidel Castro, a encouragé les pays d'Amérique latine à faire de même. Pourtant, cette politique n'a pas pu être suivie, malgré les menaces éparses qui ont été proférées dans ce sens. Les pays endettés étaient trop dépendants du système international pour s'en extraire dans l'espoir de conduire une forme de développement autarcique. Économiquement, ils étaient contraints de miser sur la coopération internationale, car ils devaient importer des biens d'équipement et de consommation courante pour satisfaire les exigences essentielles de leur développement. S'ils refusaient de payer les intérêts de leur dette et se soustrayaient aux conditions du FMI et de la Banque mondiale, ils se couperaient de toute source de financement externe.

Malgré les différents plans qui ont été élaborés pour rééchelonner les échéances de la dette, notamment le plan Brady en 1988, l'encours total de la dette extérieure des pays en développement est demeuré très lourd, notamment pour les pays les plus pauvres. Certains pays à revenu intermédiaire, comme le Mexique, le Chili et le Venezuela, ont pu obtenir une réduction de la dette qu'ils avaient contractée à l'égard des banques commerciales et retrouver ainsi l'accès aux marchés de capitaux. Pour les autres pays, ceux à faible revenu, les niveaux de la dette restent «insoutenables». L'essentiel de cette dettes est redevable à des organismes publics, à des gouvernements des pays de l'OCDE, au FMI, à la Banque mondiale.

9.3. *Aggravation des polarisations sociales*

Ces mutations économiques ont également renforcé les polarisations sociales de la planète. La Banque mondiale fait la distinction entre :
– les économies à faible revenu, dont le PNB est inférieur ou égal à 695 dollars par habitant, ensemble qui constitue plus de trois milliards de personnes en 1993 ;
– les économies à revenu intermédiaire dont le PNB par habitant est compris entre 695 dollars et 8 626 dollars, ensemble qui comprend 1 600 milliards de personnes, dont 385 millions appartiennent à des pays gravement endettés ;
– les économies à revenu élevé dont le PNB par habitant est de plus de 8 626 dollars, ensemble qui compte 812 millions de personnes, provenant essentiellement des pays de l'OCDE.

En réalité, le nombre des personnes vivant au-dessous du seuil de pauvreté absolue n'a cessé de grandir au cours des dernières décennies. Comme le rappelait le PNUD dans son *Rapport sur le développement humain* de 1997, 80 % de la population mondiale, située dans les pays démunis, disposent de 22 % du revenu mondial. En termes de revenu par habitant, les pays du Nord ont en moyenne 14 473 dollars contre 823 dollars pour les pays du Sud. Par ailleurs, le fossé entre ces aires socio-économiques s'élargit, puisque vers la fin de la dernière décennie la croissance économique dans le Sud a continué de baisser ; le pourcentage de la population mondiale ayant connu une croissance négative a plus que triplé depuis les années soixante-dix.

Le nombre des pauvres absolus dans les pays du Sud est estimé par le PNUD à 1,3 milliard, un quart de la population des pays en voie de développement. L'Asie en compte 515 millions, mais la concentration de la pauvreté en Afrique est également très forte et ne cesse de croître. Un sixième des habitants du Sud souffrent de la faim ; 160 millions d'enfants de moins de cinq ans, soit un sur trois, connaissent un état de malnutrition grave. L'espérance de vie dans les pays du Sud est encore de 12 ans inférieure à celle du Nord. On évalue à 110 millions le nombre d'enfants qui ne sont pas scolarisés et à environ 900 millions d'adultes le nombre d'analphabètes. Toujours d'après les chiffres du PNUD, un milliard et demi de personnes n'ont toujours pas accès aux soins de santé primaires ; 1,75 milliard n'ont pas accès à une source d'eau potable, et 12 millions d'enfants meurent chaque année avant leur cinquième année. Ces chiffres montrent l'ampleur des clivages économiques. Comparés à ceux de 1965, ils manifestent un fossé grandissant entre les pays pauvres et les pays riches.

9.4. *Les PMA*

Les Nations unies désignent sous la dénomination de pays les moins avancés (PMA) un ensemble d'une cinquantaine d'États situés à l'extrême périphérie de l'économie mondiale, comprenant ensemble quelque 400 millions de personnes. La plupart des pays africains appartiennent à la catégorie des PMA. Les habitants de ces pays sont en majorité des paysans. Or, leur production agricole par habitant a baissé depuis les années quatre-vingt. Leur environnement écologique se dégrade, du fait de la surexploitation de leurs terres, de l'érosion des sols, de la désertification. Le Bengladesh en Asie est vulnérable aux calamités naturelles : cyclones, inondations, sécheresses. Ces pays se caractérisent par une croissance forte de leur population, une régression plus ou moins régulière de leurs indicateurs de développement économique et social. En 1980 et 1994, près de la moitié d'entre eux a connu une baisse de 10 à 20 % de leur PNB par habitant. Ils connaissent souvent par une désintégration de leurs structures administratives et politiques, l'effondrement de leurs institutions sociales

et culturelles, déclin encore aggravé par la baisse de l'aide dont ils bénéficient des pays de l'OCDE. Au cours des dernières décennies, les pays du
Sahel, le Bengladesh et l'Éthiopie furent à plusieurs reprises victimes de
famines, et une partie de leur population a connu des périodes de malnutrition chronique, du fait d'une mauvaise répartition des terres entre les
paysans, des guerres, de la dynamique non régulée des marchés nationaux
et internationaux.

9.5. *Les inégalités intérieures*

En outre, les clivages entre les riches et les pauvres à l'intérieur des États
se sont généralement approfondis. Le Brésil, par exemple, est une grande
puissance industrielle. Son PNB le range parmi les pays à « revenu intermédiaire ». Sa richesse nationale est toutefois mal distribuée puisque le
cinquième le plus riche de la population gagne 26 fois plus que le
cinquième le plus pauvre. Autre exemple mentionné par le PNUD : au
Pérou, 40 % de la population n'a accès qu'à 13 % du revenu national.
Cette évolution néfaste est également visible au sein des pays industrialisés avec l'apparition de nouveaux phénomènes de paupérisme. Les
« restructurations » accompagnant les changements dans les techniques de
production et les modes de consommation ont entraîné du chômage et des
phénomènes de marginalisation de secteurs importants de la population.
C'est particulièrement vrai aux États-Unis et en Angleterre. L'ère du
néo-libéralisme a eu des répercussions culturelles et sociales dont les
effets ne manqueront pas de se faire sentir sur plusieurs décennies. Les
États-Unis connaissent des problèmes sociaux de grande ampleur, et
plusieurs de leurs villes sont confrontées à beaucoup d'insécurité, de
misère, de sans-abris, de mortalité infantile, avec une population carcé-
rale atteignant des chiffres inimaginables dans un régime démocratique.

10. La « nouvelle économie politique internationale »

Réalistes et néo-marxistes sont d'accord sur un point : la politique internationale est caractérisée par des rapports de domination et de
dépendance. Les premiers l'expliquent en rappelant l'essence de la politique, faite de conflits et de rapports de domination fondés sur l'exercice
de la puissance, les seconds en mettant à jour les structures socio-
économiques de nature inéquitable et aliénante qui se déploient dans la
mouvance du système capitaliste. On voit apparaître dans les années
quatre-vingt un effort tendant à dégager une « nouvelle économie politique internationale » qui met à jour des mécanismes de domination
hégémonique fondés aussi bien sur la puissance politique que sur le
contrôle des structures de l'économie internationale.

10.1. *Les fondements de l'hégémonie*

Dans son ouvrage *Production, Power and World Order,* Robert Cox souligne l'importance pour la compréhension des relations internationales de trois types de structures :
– l'organisation de la production, et surtout les forces sociales qui en résultent ;
– les formes de l'État, qui découlent des rapports complexes entre l'État et la société ;
– l'ordre mondial qui surgit de la configuration des rapports de forces sur la scène internationale.

Ces différentes structures sont étroitement imbriquées. Des changements dans l'organisation de la production engendreront d'autres forces sociales, qui modifieront les structures étatiques, qui susciteront l'émergence de nouvelles configurations de l'ordre mondial. Les interactions entre ces structures sont constantes.

Ainsi, au cours du XIXᵉ siècle, la suprématie de la Grande-Bretagne était basée sur une puissance maritime sans égale. Les sphères dirigeantes britanniques poursuivaient en Europe une politique d'équilibre, tout en assurant les conditions nécessaires au fonctionnement de l'économie libérale, notamment le respect des règles de l'étalon-or. Il n'existait pas d'institution formelle, mais les principaux États acceptaient que la Cité de Londres soit le gestionnaire de l'ordre économique mondial. Progressivement la puissance maritime de la Grande-Bretagne s'est vue contestée notamment par l'Allemagne et par les États-Unis. L'intégration politique des travailleurs vers la fin du XIXᵉ siècle a accentué le développement du nationalisme et de l'impérialisme, ce qui a contribué à la fragmentation de l'économie mondiale et engendré une phase plus conflictuelle des relations internationales. Le libéralisme économique a cédé la place au protectionnisme et à l'impérialisme. Le système monétaire instauré par la Grande-Bretagne n'a pas survécu à l'épreuve de la Première Guerre mondiale.

Dans la période qui suit, l'hégémonie américaine se présente de manière plus rigide, avec des systèmes d'alliances visant à contenir l'URSS. Cette suprématie politique a créé les conditions d'une économie mondiale dominée par les entreprises américaines. Les caractéristiques de ce nouvel ordre sont assez semblables à celles qu'imposait la Grande-Bretagne au XIXᵉ siècle : le libéralisme s'est toutefois institutionnalisé, et la fonction principale des organisations internationales a été d'harmoniser les revendications de mouvements sociaux à l'intérieur des États avec les exigences de l'économie mondiale. L'État s'est « internationalisé », dans le sens que les politiques publiques s'élaborent dans le cadre d'organisations ou de mécanismes de coopération intergouvernementaux. En outre, ces nouvelles institutions traduisent l'expansion planétaire des modes de production capitaliste. On voit enfin l'émergence d'une structure de classe internationale dominée par les gestionnaires des entreprises transnationales. Stephen Gill et David Law ont montré dans *The Global Political Economy* (1988) les ressorts de leur domination idéologique en faisant l'analyse de la Commission trilatérale, créée en 1972 par le financier David Rockefeller, organisme qui rassemble quelque 350 personnalités — dirigeants politiques, professeurs d'Universités et hommes d'affaires issus des grandes sociétés transnationales — en vue de produire des réseaux d'influence légitimant l'hégémonie des classes dirigeantes des pays industrialisés. Dans *L'imposture du Club de Rome* (Paris, PUF, 1982), Philippe Braillard avait mis en évidence un phénomène sociopolitique de même nature. Ce type d'analyse pourrait également s'appliquer au World Economic Forum qui réunit chaque année à Davos des dirigeants d'entreprises transnationales et des hauts responsables de l'économie et de la politique internationales.

10.2. Les dimensions idéologiques de l'hégémonie

Cox, Gill et Law ont une conception de la domination politique qui est proche de la vision marxiste de l'aliénation. Elle s'inspire directement des travaux de Gramsci. Dans cette perspective, le pouvoir politique s'établit et se maintient par la coercition. Mais il s'appuie aussi sur un processus de socialisation qui fait accepter cette domination politique comme légitime. L'hégémonie repose en conséquence non seulement sur le contrôle de la force armée, mais aussi sur la capacité d'établir un large consensus idéologique entre différentes classes sociales. Elle implique le développement d'un projet économique et politique transcendant les intérêts immédiats de la classe dominante. La notion de « bloc historique » chez Gramsci désignait une convergence au niveau de l'État entre les rapports de forces matérielles, les institutions et les productions idéologiques. La fonction de toute idéologie, dans cette perspective, est de présenter une vision univoque et incontestable de l'histoire. La domination est totale lorsque les détenteurs du pouvoir parviennent à faire passer l'idée qu'il n'y a pas d'alternative, limitant ainsi l'imaginaire social et la nature des affrontements politiques.

L'histoire des empires montre en effet que l'hégémonie des grandes puissances ne tient pas seulement à leur capacité d'imposer leur volonté par la force, au contrôle qu'elles exercent sur les ressources matérielles, mais aussi à leur autorité, aux moyens qu'elles mettent en œuvre pour propager leur vision du monde. Lorsque les sociétés dominées ou dépendantes intériorisent les idées des vainqueurs, la tutelle de ces derniers peut se relâcher, et perdre sa dimension coercitive. Comme nous le verrons ultérieurement, le développement des institutions internationales a permis de minimiser l'utilité de la force.

L'homogénéité grandissante des modes de production et de consommation a infléchi la nature des débats idéologiques, contribuant à l'établissement d'un large consensus entre les partis traditionnels au sein des pays riches sur les principales orientations de leur politique nationale. Les décisions gouvernementales sont présentées comme incontestables. Le réel devient rationnel : il n'existe pas d'autres choix que ceux présentés par les gouvernements pour lutter contre l'inflation ou le chômage, pour assurer la prospérité et satisfaire les besoins de la classe moyenne. On constate aussi le même conformisme idéologique et politique au sein des institutions internationales : elles produisent ensemble le même genre de discours sur le développement.

10.3. *Les dimensions culturelles de l'hégémonie*

Les principaux pays industrialisés, les États-Unis en tête, exercent ainsi une influence déterminante sur l'évolution de l'économie et de la politique internationales Ils orientent la nature des processus engagés au titre des stratégies de développement par l'intermédiaire de la Banque mondiale, de l'OCDE, des institutions spécialisées des Nations unies ; ils disposent des centres d'enseignement et de recherche académiques qui forment les personnes qui seront recrutées par ces organisations, et qui emploient les professeurs qui conseilleront à titre d'experts les gouvernements d'Amérique latine ou de l'Europe orientale. Leur hégémonie passe donc également par le contrôle des ressources scientifiques et intellectuelles les plus performantes au regard du modèle idéologique dominant.

En outre, la majorité des pays du tiers-monde n'ont pas les ressources financières et humaines pour participer pleinement aux grandes négociations multilatérales marquant l'évolution des relations internationales. Lorsque ces négociations portent sur la libéralisation du commerce international, elles concernent des questions qui sont d'importance vitale pour l'évolution politique et sociale de ces pays. Pour les suivre, pour participer aux très nombreuses commissions et assemblées dans lesquelles elles se déroulent continuellement, les États doivent s'assurer le concours, à Genève, à New York ou dans leur propre capitale, de nombreux diplomates et experts. Les gouvernements américains japonais et européens ou l'Union européenne mobilisent chacun à cette fin des centaines de fonctionnaires et de consultants ou des institutions de recherche. La plupart des pays d'Asie, d'Amérique latine ou d'Afrique ne disposent pas des mêmes capacités. Et pourtant, l'issue de ces négociations déterminera le niveau de leur production économique et l'importance de leurs exportations, donc leur taux de croissance et de chômage.

Chapitre 6

L'ordre international

Le cours de la politique internationale est parfois chaotique; il est souvent tragique. Et pourtant, l'humanité n'est pas livrée sans défense aux passions et intérêts politiques, à la violence des États, à l'exploitation des plus forts. Malgré la résurgence des guerres et des conflits, en dépit des hiérarchies entre États et des phénomènes de domination structurelle mise à jour par les «réalistes» et les néo-marxistes, l'image de l'anarchie est insuffisante pour caractériser les relations internationales. Les États ont d'innombrables projets de coopération et des liens d'interdépendance multiples.

1. L'emprise des normes

Les gouvernements entretiennent des rapports politiques continus et suivent des pratiques diplomatiques convergentes issues d'une longue tradition. Ils partagent une représentation semblable des institutions et des normes devant régir l'ordre international : leurs interactions quotidiennes manifestent l'existence d'une culture diplomatique et juridique commune. Ils ne recourent généralement pas à l'agression pour assouvir leurs ambitions ; ils acceptent de négocier leurs conflits par voie diplomatique ; ils se plient fréquemment à des procédures de règlement judiciaire des litiges. Ils s'efforcent de rechercher ensemble les moyens d'atteindre leurs objectifs politiques. Ils se lient par des obligations de droit, celles découlant de la coutume ou des traités, voire des recommandations des Nations unies, et reconnaissent d'ordinaire les principes déterminant ces normes juridiques. Ils créent des organisations internationales, puis en supportent les charges financières et assument les responsabilités politiques liées à leur fonctionnement et à la réalisation de leurs objectifs. La plupart du temps, les dispositions du droit international public sont respectées, ce qui donne aux relations internationales un caractère stable et prévisible. En fait, aux pires heures de la guerre froide, les États-Unis et l'URSS entretenaient des relations régulières et respectaient les conventions garantissant l'immunité de leurs ambassades et de leurs personnels diplomatiques ; les représentants de l'URSS siégeaient au Conseil de sécurité et à l'Assemblée générale des Nations unies.

Certes, le droit international reste un système juridique fragile. Son emprise n'a pas la cohérence et la force, ni l'autorité des dispositions constitutionnelles et des lois en vigueur dans les États démocratiques. Sa reconnaissance n'est pas absolue, ni permanente. En certaines circonstances, les États recourent à la politique du fait accompli, ou à la violence pour satisfaire leurs ambitions et se faire justice. Les grandes puissances prennent aussi davantage de libertés à l'égard du droit international que les petits États. L'intérêt qu'elles manifestent pour les mécanismes de règlement pacifique des différends et des juridictions obligatoires est aléatoire. Et pourtant, la violation occasionnelle du droit international n'invalide pas son effectivité. Les États déploient malgré tout des efforts pour justifier leurs actions en référence aux principes du droit international et pour défendre leur interprétation des normes en vigueur.

1.1. *Vers une communauté mondiale ?*

Comment expliquer les progrès du droit et l'avancée des institutions internationales ? On retrouve dans la pensée des théoriciens du contrat social, notamment dans les doctrines de Grotius, Pufendorf ou Locke, les premiers éléments d'une réponse à cette question. Les hommes sont doués par la nature de raison, et leurs intérêts commandent l'établissement d'une société fondée sur des lois. Ils s'unissent volontairement, et acceptent d'aliéner une partie de leur liberté au monarque qui garantira par son autorité le maintien de l'ordre social. Au XVIIIe siècle, Rousseau, l'abbé de Saint-Pierre et Kant prolongent cette réflexion sur la paix civile entre les nations. Les philosophes des Lumières, Kant en particulier, fondent l'espoir d'une histoire universelle et croient discerner dans le progrès de l'humanité le cheminement de la raison. Puis les théoriciens libéraux, Adam Smith, J. Bentham, et Stuart Mill s'interrogent sur l'utilité du commerce international pour le développement de relations pacifiques entre les nations.

Les idées de ces grands classiques de la pensée politique moderne sont parfois négligées dans l'étude des relations internationales, sous prétexte qu'elles sont apparues dans un contexte historique différent du nôtre, qu'elles sont d'inspiration normative, qu'elles ne répondent pas aux ambitions de la science politique. En réalité, les théoriciens actuels de la coopération internationale fondent leur compréhension de la politique mondiale sur des postulats qui ne sont pas différents de ceux de leurs illustres prédécesseurs : les hommes partagent suffisamment d'intelligence, de valeurs semblables et d'intérêts communs pour tendre à l'instauration d'un ordre international cohérent et stable. On retrouve l'inspiration éclairée de ces philosophes dans les travaux de certains juristes contemporains qui voient se dessiner dans les solidarités et les convergences d'intérêts entre États des motifs de croire au progrès du droit international, voire même à l'avancée de l'humanité vers une «communauté internationale», figure rhétorique des Nations unies.

1.2. *La société internationale*

En fait, l'humanité n'a qu'une conscience abstraite et imparfaite de ses rapports de solidarité. Ces liens se manifestent à l'occasion de tragédies humanitaires, mais ces élans de générosité sont inconstants, partiels, et rien n'indique que les peuples puissent s'entendre durablement sur la définition de projets politiques communs. En revanche, on peut reconnaître l'existence d'une société internationale, car les gouvernements et les peuples partagent dans leur majorité des idéaux, des normes et des institutions comparables. Ils sont enserrés par les liens d'une même économie internationale. C'est la thèse défendue dans l'ouvrage de Hedley Bull, *The Anarchical Society* (Londres, 1977).

Il n'existe pas de société sans un minimum d'ordre politique. Le concept d'ordre ne peut pas faire l'objet d'une définition univoque. Il comprend non seulement une organisation intelligible, ayant un certain degré de stabilité, mais aussi des normes, donc des valeurs, qui donnent sens à cette structure. Dans les relations internationales, ce concept est souvent utilisé à des fins idéologiques, pour valoriser tel ou tel projet politique. Les pays du tiers-monde ont revendiqué depuis les années soixante-dix un «nouvel ordre économique international». Le président Bush annonce au moment de la guerre du Golfe le projet d'«un nouvel ordre mondial». Mais dépouillé de ses connotations idéologiques, le concept d'ordre exprime les dimensions institutionnelles de la politique internationale, les structures politiques et l'ensemble des pratiques sociales assurant l'organisation des rapports entre les principaux acteurs de la scène mondiale. Il s'oppose à celui d'anarchie. La société internationale présente en effet des structures cohérentes, malgré son hétérogénéité culturelle et idéologique, ses disparités socio-économiques, son faible niveau d'intégration politique. Il ne s'agit certes pas de confondre l'ordre avec le *statu quo*. Aucune société politique n'est figée ; toutes les institutions et les valeurs se transforment dans le mouvement permanent de l'histoire. L'ordre international n'est donc pas assimilable à la cristallisation des rapports de forces ou des structures institutionnelles. On le reconnaît toutefois dans les principes et les institutions donnant stabilité et cohérence à l'organisation des rapports internationaux.

2. Les fondements politiques de l'ordre international

Reste à comprendre les assises politiques de cet ordre international. On peut en mentionner au moins trois : la domination, l'intérêt, l'adhésion. Il n'est pas besoin de s'étendre sur le premier terme de l'explication. Le paradigme «réaliste» met en évidence le rôle des grandes puissances sur la scène mondiale, les contraintes structurelles déterminées par leurs interactions, les équilibres de forces, les hiérarchies de pouvoir et les rapports d'autorité qui forment les bases de l'ordre international. Leur hégémonie est également fondée sur des institutions, des traditions, des pratiques sociales.

L'intérêt que les États ont à maintenir des rapports pacifiques est évident : la guerre est une option cruelle, dont l'issue reste incertaine. À l'âge atomique, elle apparaît comme un moyen absurde de résoudre les disputes entre les puissances nucléaires. Pour éviter la guerre, les États doivent développer des systèmes d'alliances militaires, entretenir des rapports diplomatiques permanents. Par ailleurs, la coopération entre les États et entre les sociétés nationales peut être une source de prospérité et de bien-être. Les «réalistes» ont négligé l'analyse des enjeux économiques des relations internationales. En fait, la croissance des interactions commerciales et financières entre les différentes régions de la planète, la mondialisation des marchés, la progression des réseaux de communication, la croissance des mouvements transfrontaliers de biens et de personnes, l'homogénéité des modes de production et de consommation, l'uniformisation des conceptions politiques et des valeurs culturelles, tout autant que le développement des organisations intergouvernementales et non gouvernementales, ont tissé des rapports d'interdépendance étroits entre les gouvernements et les peuples. Comme nous l'avons suggéré, les États n'ont plus la pleine maîtrise de leur sécurité et de leur développement, puisqu'ils ne peuvent dominer seuls les processus politiques et les forces économiques affectant leur taux de croissance leurs indices de chômage et d'inflation, les niveaux d'investissement. La coopération internationale dans les domaines économiques, sociaux et culturels est devenue après la Seconde Guerre mondiale une préoccupation centrale des gouvernements.

Les gouvernements respectent les normes et les institutions internationales parce qu'ils adhèrent aux principes qui les fondent. L'analogie avec les systèmes étatiques est permise. La conformité des individus aux lois et règlements en vigueur ne s'explique pas seulement par leur «crainte du gendarme» ou parce qu'ils y trouvent un intérêt matériel immédiat; elle découle aussi du fait qu'ils valorisent l'adhésion à des pratiques sociales communes et se reconnaissent dans les principes légitimant l'ordre politique.

Ces éléments d'intégration marquent également l'ordre international. Les gouvernements ne sont pas des monstres abstraits. Ils sont composés de personnes, représentant à des titres divers, de manière plus ou moins immédiate, des forces politiques et culturelles inspirées par des valeurs. Les processus de socialisation marquant les individus et les hommes politiques dans l'ordre étatique jouent un rôle équivalent dans la formation des responsables de la diplomatie ou de la stratégie. Cette adhésion aux principes et normes communs à la société internationale pose la question de la légitimité.

3. La légitimité

La problématique de la légitimité, qui fut traditionnellement une grande préoccupation de la philosophie politique, est depuis Max Weber au cœur de la réflexion sociologique sur les rapports de domination et d'autorité. Elle a pour question centrale : pourquoi les hommes obéissent-ils aux lois et respectent-ils les institutions? «La légitimité, c'est la reconnaissance du droit de gouverner. À cet égard, elle tente d'apporter une solution à un problème politique fondamental, qui consiste à justifier simultanément le pouvoir politique et l'obéissance» (J.-M. Coicaud, *Légitimité et politique*, Paris, PUF, 1997, p. 14). La contrainte physique ne suffit pas à garantir la pérennité d'un système politique. Le pouvoir n'existe pas à l'état pur. L'ordre se situe dans la dialectique du commandement et de la soumission. Le respect des lois peut découler de la peur, du consentement, de l'accord, de tous ces sentiments mélangés. Mais pour être durable, comme Rousseau l'avait souligné, le respect de la légalité doit se fonder sur la reconnaissance de sa valeur. L'autorité des institutions tient au fait qu'elles sont reconnues comme légitimes par l'ensemble de la communauté.

La légitimité repose donc sur le postulat selon lequel les institutions et les lois doivent être fondées sur un ensemble de principes reflétant les valeurs culturelles et les conceptions idéologiques dominantes. Au sein de l'État, les détenteurs du pouvoir ne peuvent transgresser certains principes de gouvernement acceptés par l'ensemble de la société nationale sans encourir le risque de voir leurs décrets contestés et leur autorité bafouée. La légitimité ne se confond pas avec la légalité. Un pouvoir peut être capable d'édicter et de faire respecter ses lois sans être pour autant légitime.

3.1. *La culture*

Fait de culture, la légitimité renvoie à un système de croyances inscrit dans la tradition et l'histoire d'une collectivité. Les processus de légitimation trouvent toujours leur origine dans la manipulation d'un savoir initiatique d'essence religieuse, donnant réponse aux questions essentielles de l'humanité sur la naissance, la vie et la mort. On le constate dans la plus haute Antiquité, en Égypte notamment, dans les rapports que les rois entretenaient avec les divinités. À l'époque contemporaine, on retrouve un avatar de cette origine divine des processus de légitimation dans les efforts déployés par les dirigeants politiques pour fonder leur autorité sur le mystère, sur la manipulation des symboles et des croyances spirituelles. Il s'exprime aussi dans le spectacle et les fastes dont ils entourent leurs faits et gestes et dans le respect de rituels. Marc Abélès l'a bien montré dans son *Anthropologie de l'État* (Paris, A. Colin, 1990).

La culture marque de son empreinte la production des normes, par conséquent la définition de ce qui est licite ou de ce qui ne l'est pas. Par les processus de socialisation, elle exerce une influence dans l'ensemble de la vie collective, notamment en orientant les styles de vie, les modèles de production et de consommation, la hiérarchie des valeurs politiques. L'adultère, le blasphème ou le vol à l'étalage n'ont pas partout la même signification. Selon les croyances spirituelles et les coutumes en vigueur, les gouvernements auront plus ou moins de peine à orienter les décisions individuelles en matière de contrôle des naissances, d'investissement, d'éducation. Les capacités d'intervention du pouvoir politique sur l'économie sont différentes selon qu'une société est structurée par un marché capitaliste, par un modèle collectiviste, par des pratiques de corruption généralisées.

Le pouvoir politique ne s'exerce pas de la même manière dans une société féodale ou dans une société capitaliste avancée. On connaît bien les distinctions de Weber sur les types d'autorité : traditionnelle charismatique, légale.

3.2. *Les idéologies*

Dans la période contemporaine, les idéologies exercent une emprise sur les processus de légitimation. Elles constituent des discours à prétention scientifique sur le mouvement de l'histoire, des représentations du monde donnant sens à l'action politique, à la conquête ou à la consolidation du pouvoir, aux expériences des sociétés. Depuis la fin du XVIIIᵉ siècle, elles ont progressivement comblé le vide laissé en Occident par le déclin des religions ; elles se sont imposées par défaut, comme des systèmes d'explication du monde et de son histoire. C'est la raison pour laquelle les détenteurs du pouvoir doivent entretenir un rapport étroit avec les intellectuels ou les experts, les « clercs » du monde contemporain, qui produisent et manipulent les discours idéologiques.

On peut opérer une distinction entre les idéologies universalistes et celles de nature particulariste, légitimant un ordre étatique ou un mouvement politique spécifique. Les premières sont véhiculées par les grandes puissances, et s'énoncent comme un discours à vocation hégémonique sur l'histoire universelle. Les États-Unis, au cours de la guerre froide, ont exprimé leur projet politique en termes de défense du « monde libre ». En réalité, de Woodrow Wilson à George Bush, les présidents américains ont défini leur engagement sur la scène internationale comme un combat pour terrasser les forces du mal. Les dirigeants soviétiques se sont également crus porteurs du mouvement de l'histoire révélé par Marx et Lénine. Ils ont conféré à leur projet de politique étrangère une mission planétaire en faveur de la libération des masses opprimées. Les fondamentalistes islamiques défendent également une idéologie universaliste. L'islam originel divise le monde entre le royaume où s'applique la loi de Dieu, le « *dar al-islam* » (demeure de l'islam) et le reste du monde, le « *dar al-harb* » (demeure de la guerre) qu'il faudra convertir par la *jihad*, la guerre sainte. L'avènement de la République islamiste d'Iran, en 1979, donne un nouvel essor à une idéologie d'inspiration islamiste contestant radicalement les structures du système international. Le gouvernement iranien, les mouvements fondamentalistes au Moyen-Orient et en Afrique du Nord, refusent la sécularisation de l'État, et affirment que l'islam est l'origine et la finalité de toute politique. Cette idéologie nie les prémisses séculaires de l'ordre international existant, notamment le principe de l'État-nation, le droit international public, les conceptions et pratiques dominantes en matière de développement économique. Comme l'a bien montré Mohammad-Reza Djalili dans *Diplomatie islamique. Stratégie internationale du khomeynisme* (Paris,

PUF, 1989), cette position a été affirmée avec plus ou moins de cohérence par les représentants de l'Iran dans les diverses instances des Nations unies, notamment dans les délibérations sur les droits de l'homme. En réalité, les discours inspirés par des idéologies universalistes sont toujours au service du projet nationaliste des États qui les propagent.

3.3. *La politique*

L'analyse de la légitimité ne doit pas seulement porter sur ses fondements culturels et idéologiques, mais également sur son assise politique. Les principes guidant l'action politique ne sont pas des absolus; ils comprennent des virtualités contradictoires. Du point de vue politique, leurs reconnaissances peuvent inspirer des engagements différents, voire même contradictoires. Par ailleurs, les normes et pratiques d'une collectivité peuvent changer rapidement en période de crise. L'évolution des croyances et des conceptions politiques n'est pas indépendante des mouvements de l'histoire; elle entretient une relation dialectique avec les transformations économiques, sociales et politiques. Le charisme, pour reprendre l'exemple de Weber, n'est pas la qualité intrinsèque d'un dirigeant, mais le produit d'une interaction entre un chef et ses adeptes. La légitimité d'un gouvernement peut-être éphémère, quand bien même il respecte formellement les principes qui le fondent. Il n'est pas rare en effet qu'un régime constitutionnel soit renversé parce qu'il s'avère incapable de répondre aux exigences politiques de la société, ou de ses groupes les plus militants. La légitimité n'existe pas en soi : elle s'exprime dans une relation dialectique d'autorité et d'obéissance, cette dernière pouvant manquer lorsque le pouvoir politique s'avère incapable de satisfaire les attentes des gouvernés fondées sur les représentations collectives de certaines valeurs communes, parmi lesquelles figurent la dignité humaine et la justice.

4. La légitimité dans la sphère internationale

Cette problématique de la légitimité se pose chaque fois que les sociétés doivent faire face au commandement d'un pouvoir politique, donc à l'alternative de l'obéissance ou de la rébellion. Or, dans les relations internationales, les États sont constamment confrontés à des rapports de puissance, et au dilemme posé par l'adhésion à des obligations contraignantes. La compréhension de l'ordre international passe donc par l'analyse de ses principes de légitimité et de leurs fondements politiques. Ces principes peuvent rester équivoques quant à leurs exigences légales. Dans l'ordre international également, il ne faut pas confondre légitimité et légalité. C'est pourtant la position de l'internationaliste américain

Thomas Franck, qui définit la légitimité en termes essentiellement juridiques dans *The Power of Legitimacy among Nations* (Oxford, 1990). Selon cet auteur, une règle de droit international s'impose comme légitime si elle a été créée par une procédure juridique incontestable, et si elle manifeste certaines qualités de clarté, de cohérence et d'utilité tout en s'intégrant dans une hiérarchie de normes juridiques reconnues.

En réalité, comme nous l'avons vu, la société internationale manifeste une trop grande hétérogénéité idéologique, culturelle et politique pour qu'une telle vision soit pertinente. Ses centres de pouvoir sont multiples Les forces politiques qui s'y exercent sont beaucoup plus diverses que celles représentées par les gouvernements des États constitués. Les rapports de domination sont faiblement institutionnalisés; ils s'expriment dans une pluralité de hiérarchies de commandement. Les débats sur les principes de la légitimité y sont d'ordinaire plus conflictuels qu'au sein des États, et les processus de légitimation y sont beaucoup plus aléatoires. Les grandes puissances s'efforcent de faire prévaloir leur propre conception de l'ordre international, leur représentation du sens de l'histoire et de l'action collective. Les affrontements idéologiques de la guerre froide ont porté en définitive sur la définition des principes devant régir la politique mondiale. Depuis lors, ils concernent davantage, les structure des États, leur régime, les enjeux économiques et sociaux de la mondialisation.

Les fondements des processus de légitimation sont pourtant analogues à ceux qui se manifestent dans le cadre des États. On y retrouve également des fragments de mythes, d'archétypes idéologiques, de conceptions morales et spirituelles — partielles ou cohérentes — de rites et de symboles qui sont invoqués par les détenteurs du pouvoir politique pour donner autorité à leur conception de l'ordre international.

Les gouvernements sont les principaux instruments et destinataires des processus de légitimation. Par-delà les instances étatiques, ces processus impliquent les organisations intergouvernementales, les peuples et les individus qui déterminent l'évolution de la politique internationale. Parmi les acteurs capables d'entraîner l'adhésion, de s'imposer par leur autorité rationnelle ou par l'appel aux émotions, on remarque les dirigeants des États occupant le devant de la scène internationale. Il ne s'agit pas seulement de chefs des grandes puissances. Le président égyptien Nasser s'est assuré une large audience sur la scène internationale dans les années cinquante en nationalisant le canal de Suez et en s'opposant aux séquelles de l'impérialisme occidental. Le maréchal Tito, président de la Yougoslavie, et le Premier ministre de l'Inde, Nehru, ont marqué de leur empreinte la création et le développement du mouvement des non-alignés. Comme nous le verrons au prochain chapitre, les organisations des Nations unies jouent également un rôle important dans la définition des principes de l'ordre international.

5. Les éléments constitutifs de l'ordre international

5.1. *La paix de Westphalie*

Malgré les antagonismes idéologiques et culturels, les institutions et conventions qui structurent la société internationale reposent sur un ensemble de principes très largement reconnus par la majorité des acteurs internationaux. Les sociétés ont des expériences universelles communes. La convergence des grands mythes fondateurs de l'humanité en témoigne. On le constate aussi dans leurs réponses analogues au déroulement de l'histoire contemporaine. Aujourd'hui, la plupart des sociétés voient dans l'État une forme d'organisation politique légitime, reconnaissent un ensemble d'institutions internationales communes, adhèrent, formellement au moins, aux mêmes principes normatifs faisant de l'individu un sujet de droit international.

C'est généralement à l'issue de grands bouleversements historiques que se cristallisent les principes qui définissent les termes de la légitimité internationale. C'est la paix de Westphalie en 1648 qui est à l'origine de l'ordre international contemporain, fondé sur la prééminence de l'État-nation. Ce modèle politique est issu des guerres de Religion et des structures économiques et politiques qui se mettent en place après la Renaissance.

Après les guerres napoléoniennes, les grandes puissances fondent la Sainte-Alliance et instaurent un concert européen. Cet ordre est bientôt ébranlé par le mouvement des nationalités en Europe. Au XIXᵉ siècle pourtant, les grandes puissances qui dominent la scène internationale ne reconnaissent pas la validité universelle du principe de l'État-nation. Ainsi, à titre d'exemple, la conférence de Berlin en 1884-1885 détermine les conditions pour la colonisation de l'Afrique en posant pour principe l'effectivité du contrôle territorial des régions revendiquées comme possessions. Dans les chancelleries des grandes puissances de l'époque, personne n'aurait eu l'idée de contester la mission civilisatrice de l'Occident et le droit de coloniser des peuples étrangers en Asie ou en Afrique. Paradoxalement toutefois, l'impérialisme occidental va contribuer à propager en toutes régions du monde l'État-nation comme un modèle d'organisation politique.

Au terme de la Grande Guerre de 1914-1918, on voit émerger une nouvelle société internationale, inspirée par les idéaux du président Woodrow Wilson. Le principe du droit des peuples à disposer d'eux-mêmes, sans trouver sa pleine consécration juridique, bénéficie d'une audience grandissante dans la politique internationale, d'autant qu'il est proclamé avec force en Russie par les dirigeants bolcheviks. Le Pacte de la SDN affirme dans son article 22 que « le bien-être et le développement » des peuples qui avaient été colonisés par l'Allemagne et qui sont placés sous le mandat de la France ou de la Grande-Bretagne «forment une mission sacrée de civilisation».

5.2. *L'ordre de San Francisco*

Après la Seconde Guerre mondiale, la Charte des Nations unies exprime les conceptions idéologiques des puissances alliées, en particulier des Anglo-Saxons. Elle constitue un document d'une haute portée normative. Son préambule ressemble à une prière; il manifeste ainsi sa parenté avec les textes sacrés, sources traditionnelles de la légitimité politique. La Charte définit dans ses deux premiers articles les «buts et principes» de l'Organisation, notamment maintenir la paix et la sécurité internationales, «réaliser la coopération internationale en résolvant les problèmes internationaux d'ordre économique, social, intellectuel ou humanitaire […]».

La Charte propose une nouvelle conception de l'ordre mondial fondée notamment sur le respect de la justice, du droit international, des droits de l'homme et des libertés fondamentales; elle affirme en même temps un grand projet de coopération internationale dans les domaines économiques et sociaux. Elle proclame surtout le droit des peuples à disposer d'eux-mêmes principe qui va donner toute sa justification au processus de décolonisation, avant même qu'il ne trouve sa pleine consécration juridique Les causes de la décolonisation sont multiples et complexes mais le fait que les États-Unis et l'URSS aient été hostiles à la préservation des empires européens et qu'ils aient fait inscrire ce principe dans un document constitutif de l'ordre international a incontestablement accéléré ce processus historique. L'Acte constitutif de l'Unesco, ou celui de l'Organisation internationale du travail, définissent également des finalités de coopération internationale d'une haute élévation morale.

5.3. *Les droits de l'homme*

On ne peut analyser les fondements de l'ordre international sans faire référence à l'individu. Comme nous l'avons remarqué, le principe de la souveraineté nationale n'est pas absolu. Il souffre de nombreuses atteintes inscrites dans la dynamique des processus d'intégration économique et politique, dans la logique des rapports d'hégémonie et de dépendance politique, ou encore dans la contestation ethnique des frontières politiques établies. Du point de vue institutionnel et normatif, ce principe de souveraineté se voit également limité par le droit international, en particulier par les obligations que les États ont assumées depuis la fin de la guerre en matière de droits de l'homme.

Originellement, les droits de l'homme s'épanouissent au siècle des Lumières, dans le mouvement d'une modernité politique qui a pour trait caractéristique la sécularisation des rapports d'autorité, l'affirmation de

⚠ Charte des Nations unies

NOUS, PEUPLES DES NATIONS UNIES, RÉSOLUS

à préserver les générations futures du fléau de la guerre qui deux fois en l'espace d'une vie humaine a infligé à l'humanité d'indicibles souffrances, à proclamer à nouveau notre foi dans les droits fondamentaux de l'homme, dans la dignité et la valeur de la personne humaine, dans l'égalité de droits des hommes et des femmes, ainsi que des nations, grandes et petites, à créer les conditions nécessaires au maintien de la justice et du respect des obligations nées des traités et autres sources du droit international, à favoriser le progrès social et instaurer de meilleures conditions de vie dans une liberté plus grande,

ET À CES FINS

à pratiquer la tolérance, à vivre en paix l'un avec l'autre dans un esprit de bon voisinage, à unir nos forces pour maintenir la paix et la sécurité internationales, à accepter des principes et instituer des méthodes garantissant qu'il ne sera pas fait usage de la force des armes, sauf dans l'intérêt commun à recourir aux institutions internationales pour favoriser le progrès économique et social de tous les peuples,

AVONS DÉCIDÉ D'ASSOCIER NOS EFFORTS POUR RÉALISER CES DESSEINS.

En conséquence, nos gouvernements respectifs, par l'intermédiaire de leurs représentants, réunis en la ville de San Francisco, et munis de pleins pouvoirs reconnus en bonne et due forme, ont adopté la présente Charte des Nations unies et établissent par les présentes une organisation internationale qui prendra le nom de Nations unies.

CHAPITRE 1

BUTS ET PRINCIPES

Article 1

Les buts des Nations unies sont les suivants :

1. Maintenir la paix et la sécurité internationales et à cette fin: prendre des mesures collectives efficaces en vue de prévenir et d'écarter les menaces à la paix et de réprimer tout acte d'agression ou autre rupture de la paix, et réaliser, par ces moyens pacifiques, conformément aux principes de la justice et du droit international, l'ajustement ou le règlement de différends ou de situations, de caractère international, susceptibles de mener à une rupture de la paix;

2. Développer entre les nations des relations amicales fondées sur le respect du principe de l'égalité de droits des peuples et de leur droit à disposer d'eux-mêmes, et prendre toutes autres mesures propres à consolider la paix du monde;

3. Réaliser la coopération internationale en résolvant les problèmes internationaux d'ordre économique, social, intellectuel ou humanitaire, en développant et en encourageant le respect des droits de l'homme et des libertés fondamentales pour tous, sans distinction de race, de sexe, de langue ou de religion;

4. Être un centre où s'harmonisent les efforts des nations vers ces fins communes.

l'individualisme libéral, le développement de l'économie capitaliste. Ils s'inscrivent dans un projet de société qui place l'individu, sa raison, ses intérêts au cœur de l'histoire et de la politique. Par leurs origines philosophiques et idéologiques, leurs fondements socioculturels, ils vont à l'encontre des solidarités claniques, ethniques, ou même nationalistes. En tant qu'exigence universelle, faisant partie des principes de l'ordre international, ils s'imposent dans la mouvance de l'expansion planétaire du modèle politique occidental. Après la Seconde Guerre mondiale, en réaction contre les horreurs des régimes fascistes, la Charte des Nations unies commande aux États membres de l'Organisation de «réaliser la coopération internationale [...] en développant et en encourageant le respect des droits de l'homme et des libertés fondamentales pour tous, sans distinction de race, de sexe, de langue ou de religion». Les droits de l'homme deviennent ainsi un principe essentiel de l'ordre international. Le 10 décembre 1948, l'Assemblée générale adopte la Déclaration universelle des droits de l'homme, comme «l'idéal commun de l'humanité». Dans les années suivantes, les principes qu'elle proclame sont intégrés dans un ensemble de conventions internationales à vocation universelle ou régionale, de type aussi bien général (par exemple les Pactes de 1966 portant sur les droits civils et politiques d'une part, économiques, sociaux et culturels d'autre part) que spécifique (la Convention des Nations unies contre la torture en 1984). Les droits de l'homme font désormais partie du droit international. À ce titre, ils limitent la souveraineté des États, puisque le respect qui leur est dû impose aux gouvernements des obligations.

Dans le cadre des Nations unies ou dans celui des institutions régionales, des procédures ont été instituées pour assurer la mise en œuvre des conventions en vigueur. L'URSS et les pays en voie de développement ont longtemps résisté à toute tentative d'ingérence dans leurs affaires intérieures au titre des droits de l'homme. L'interprétation de ces droits et des obligations qu'ils commandent, les polémiques sur les régimes politiques et les stratégies économiques nécessaires à leur mise en œuvre ont suscité de vives confrontations politiques. Même si les droits de l'homme ont été invoqués par les gouvernements pour justifier toutes sortes de projets politiques, ils ont néanmoins bouleversé les principes de l'ordre politique mondial en faisant de la personne humaine un sujet de droit international.

En changeant de régime politique, l'URSS a modifié sa position à cet égard. Avant même que ne se produisent ces changements, elle avait d'ailleurs accepté de débattre des questions relatives aux droits de l'homme dans le cadre de la Conférence sur la sécurité et la coopération en Europe (CSCE). Le 21 novembre 1990, les trente-quatre membres de la CSCE adoptaient la «Charte de Paris pour une nouvelle Europe» affirmant leur volonté de «réaliser les espérances et les attentes» de leur peuple. Les signataires s'engageaient «à édifier, consolider et raffermir la démocratie comme seul système de gouvernement» de leurs nations. «Les droits de l'homme et les libertés fondamentales sont inhérents à tous les êtres humains, inaliénables et garantis par la loi. La responsabilité première des gouvernements est de les protéger et de les promouvoir. Les observer et les exercer pleinement donnent leur fondement à la liberté, à la justice et à la paix.»

5.4. *Le droit d'ingérence*

Le 29 juin 1991, le Conseil des ministres de la Communauté européenne a adopté une résolution affirmant que le respect des droits de l'homme, de l'état de droit ainsi que l'existence d'institutions réellement démocratiques sont la base du développement. Il prévoit que désormais le respect, la promotion et la défense des droits de l'homme constitueront l'un des fondements de la coopération européenne et des relations entre la Communauté et les autres États.

Au nom des droits de l'homme, le gouvernement français, reprenant à son compte la revendication de certaines organisations non gouvernementales, a défendu récemment le droit d'intervenir dans les affaires intérieures des États violant massivement certains principes humanitaires. À l'issue de la guerre du Golfe, le Conseil de sécurité des Nations unies, dans sa résolution 688 du 5 avril 1991, a exigé de l'Irak qu'il mette fin sans délai à la répression qu'il avait engagée contre ses minorités Kurdes et a insisté pour qu'il permette un accès immédiat des organisations humanitaires internationales sur son territoire pour porter assistance à ces populations. Le Conseil de sécurité a lancé un appel à tous les États et à toutes les organisations humanitaires pour qu'ils participent à ces efforts. À la suite de cette résolution, les États-Unis sont intervenus avec 13 000 hommes en Irak pour assister les populations kurdes.

Ce droit d'ingérence pour des raisons humanitaires met en cause le principe de la souveraineté nationale; ceux qui l'invoquent au sein du gouvernement français, en mobilisant un registre émotionnel et nationaliste, renouent avec les justifications que les puissances occidentales donnaient à leurs interventions contre les États «barbaresques». Ce droit ne pourra manquer d'être invoqué de manière sélective ou partisane, selon les intérêts des grandes puissances, seules capables de mettre sur pied ce genre d'initiative politique à vocation humanitaire. Il est peu probable que l'on parvienne prochainement à mettre en place dans le cadre des Nations unies un mécanisme donnant en permanence des garanties d'impartialité et d'efficacité suffisantes pour renforcer par ce biais la sécurité collective des peuples. En l'occurrence, ces interventions sont difficiles à entreprendre; elles sont coûteuses; elles exigent des moyens logistiques et militaires importants.

5.5. *Les droits sociaux*

En proclamant l'universalité des droits de l'homme, les Nations unies et leurs institutions spécialisées ne se sont pas contentées d'affirmer «l'éminente dignité de la personne humaine», elles ont proclamé tout un ensemble de droits économiques et sociaux. En 1919 déjà, la constitution du Bureau international du travail affirmait que la paix universelle ne pouvait être fondée que sur la base de la justice sociale. Elle soulignait l'existence de conditions de travail impliquant pour un grand nombre de personnes l'injustice, la misère et les privations. Cette organisation recevait pour mandat de changer ces conditions, notamment par la réglementation des heures de travail, la fixation d'une durée maximum de la journée et de la semaine de travail. Elle devait défendre la garantie d'un certain niveau de salaire, promouvoir les assurances sociales, assurer la protection des enfants, des adolescents, des femmes, encourager l'affirmation du principe de la liberté syndicale et favoriser l'organisation de l'enseignement professionnel. En 1944, la Déclaration de Philadelphie réitère solennellement ces principes, en soulignant notamment que le travail n'est pas une marchandise et que la liberté d'expression et d'association est une condition indispensable d'un progrès soutenu. Elle affirme que la pauvreté, où qu'elle existe, constitue un danger pour la prospérité de tous et que la lutte contre le besoin doit être menée avec une inlassable énergie au sein de chaque nation et par un effort international continu et concerté. Ces principes trouvent également leur expression dans la Déclaration universelle des droits de l'homme de 1948 et surtout dans le Pacte sur les droits économiques, sociaux et culturels de 1966. Ainsi, l'individu, sujet de droit international, n'est pas un être abstrait et désincarné. Il fait partie d'une communauté nationale et d'une société internationale. À ce titre, il existe et se développe par des liens de solidarité. Le consensus qui s'est dégagé au sein des organisations internationales sur l'énoncé de ces principes s'est toutefois rompu lorsqu'il s'est agi de définir des stratégies pour les mettre en œuvre. Ces désaccords sont compréhensibles, car les droits, proclamés comme des absolus, comprennent des valeurs contradictoires, et les gouvernements ne peuvent s'entendre sur des conceptions communes et univoques à cet égard puisqu'elles touchent à l'essence du politique. Ces désaccords ont été particulièrement forts au moment de la guerre froide; ils demeurent profonds dans les relations entre le Nord et le Sud. Ils portent en particulier sur le problème de la part respective de l'État, des mouvements sociaux, des entreprises économiques ou des individus dans la mise en œuvre des conditions favorables à l'épanouissement de la dignité humaine.

Chapitre 7

La primauté de l'État

1. La souveraineté nationale

Si la Charte condamne les empires et affirme la volonté des Nations unies de promouvoir les droits de l'homme, elle ne remet toutefois pas en cause l'existence d'un ordre mondial fondé sur la prééminence de l'État-nation. Ce modèle politique va prendre immédiatement un essor planétaire parce que les peuples sous domination coloniale revendiquent le droit de constituer des États indépendants en investissant les structures politico-administratives mises en place par les métropoles européennes. Ainsi, le droit des peuples à disposer d'eux-mêmes fut interprété comme le droit des peuples sous tutelle coloniale à fonder leur propre État.

Pour être reconnus par le droit international, les États doivent posséder un gouvernement indépendant, un territoire, une population. Ils ont pour rôle de maintenir l'ordre et la sécurité dans un domaine délimité par des frontières, de créer dans cet espace politique les conditions du développement économique et social, de contribuer à la répartition des biens et services, de promouvoir l'emploi, de veiller à la satisfaction des besoins essentiels de la population. Les plus puissants d'entre eux ont un long passé. Légitimés par la tradition historique, ils le sont également par les systèmes idéologiques contemporains qui placent l'État au centre de la politique — le fondamentalisme islamique pouvant constituer une exception à cet égard.

Aujourd'hui, plus que par le passé, les États sont de nature différente. Ils sont pourtant formellement égaux en droit. On les dit « souverains ». Leurs citoyens ne reconnaissent en principe aucune autorité supérieure, et leurs dirigeants sont libres d'agir à leur guise dans leurs frontières en suivant leurs lois nationales. La Charte des Nations unies et le droit international public reconnaissent leur indépendance politique et interdisent les ingérences dans leurs affaires intérieures. Ils leur confèrent un « droit de légitime défense ». Ce principe de souveraineté accorde aux États existants et à leurs frontières une présomption de légitimité ; l'autorité dont il jouit contribue à la stabilité de l'ordre international, au maintien du *statu quo*.

D'une manière générale en effet, la plupart des gouvernements manifestent leur attachement à ce principe. Certes, il n'est pas intangible. Il fut souvent bafoué par les grandes puissances au cours de la guerre froide, comme en témoignent les interventions soviétiques dans les pays de l'Est européen ou en Afghanistan, ou celles des États-Unis en Amérique latine. Le président Brejnev inventa même la notion de souveraineté limitée pour justifier la tutelle de l'URSS sur les pays du « camp socialiste ». Toutefois aujourd'hui, l'impérialisme, tel qu'il s'est manifesté dans les mouvements de conquêtes coloniales du XIXe siècle, n'est plus concevable, et les gouvernements établis hésitent beaucoup avant de reconnaître les mouvements de libération nationale ou les innombrables communautés ethniques qui revendiquent l'indépendance ou l'autonomie politique.

La grande diversité des régimes étatiques et leur analyse comparative ont suscité une importante littérature de science politique. Dans la perspective des relations internationales, la réflexion porte sur la capacité des États à assumer leur prétention de souveraineté. Or, de toute évidence, certains d'entre eux sont fragiles à cet égard. Cette faiblesse peut être due à l'étroitesse de l'espace qu'ils contrôlent, à l'insuffisance de leur population, de leurs ressources économiques ; elle peut également être déterminée par les carences de leurs gouvernements. Robert H. Jackson parle de « quasi-État » pour qualifier certains régimes africains dans son ouvrage intitulé *Quasi-States : Sovereignty, International Relations and the Third World*, (Cambridge, Cambridge University Press, 1990). Jean-François Bayart montre que l'État en Afrique n'est pas achevé, et qu'il continue de suivre une trajectoire politique marquée par l'empreinte d'un monde précolonial (*L'État en Afrique,* Paris, Fayard, 1989). Bertrand Badie souligne, dans *L'État importé* (Paris, Fayard, 1992), les problèmes posés par le mauvais ancrage de ce régime politique en de nombreux pays du Sud. Cette problématique de la constitution ou de la désintégration des États intéresse les relations internationales, puisqu'elle concerne les frontières politiques entre les sociétés, donc les structures de l'ordre international. Ces frontières ont un rapport évident avec les systèmes d'identités collectives déterminant la vie des sociétés politiques.

2. Le nationalisme

La notion de souveraineté est un héritage de l'Ancien Régime. Elle implique que les gouvernements des États modernes sont investis d'un droit de commandement politique exclusif sur la population qui vit dans leurs frontières. Toutefois, l'idée moderne de souveraineté est intimement associée depuis les révolutions du XVIIIe siècle à celle de nation. Les États sont censés incarner des nations, ou tout au moins un ensemble de communautés suffisamment proches pour accepter de faire partie d'une même entité politique. Leurs processus de formation sont très différents. Ils peuvent découler d'un mouvement séculaire d'unification politique et territoriale plongeant ses racines dans le Moyen Âge, comme c'est le cas des principaux États de l'Europe occidentale. Ils peuvent aussi provenir du démembrement d'anciens empires, comme pour la plupart des autres États.

2.1. *Une construction idéologique*

La nation est une construction politique. Elle n'a pas d'origine biologique. Ses fondements socioculturels sont souvent problématiques. Elle ne comprend pas nécessairement des individus parlant la même langue, ayant des coutumes semblables. Ce concept définit cependant un ensemble de personnes et de groupes sociaux constituant une communauté politique. À titre d'exemple, la Suisse existe parce que des cantons constitués par des populations de langue allemande, française, italienne et romanche, divisées de surcroît entre religions protestante et catholique, ont décidé d'associer leur destin et d'accepter les mêmes institutions, en formant tout d'abord une confédération, puis une fédération. Ce sont en définitive les processus de socialisation qui entretiennent et développent l'ensemble des croyances, des valeurs, des attitudes capables d'assurer la cohésion d'une communauté nationale.

Le nationalisme est quant à lui une idéologie affirmant l'identité entre l'État et la nation. Comme le rappelle Anthony Smith dans *National Identity*, l'invocation de l'identité nationale est devenue un élément essentiel des processus de légitimation de l'ordre politique et social. Cette idéologie a pour finalité la création de liens de solidarité entre les individus et les classes ; elle mobilise un répertoire de valeurs et de traditions culturelles communes. Les doctrines nationalistes produisent les mythes, les symboles, les rationalisations idéologiques justifiant la construction et le développement de l'État. Le nationalisme offre à tout individu une identité à la fois personnelle et sociale, lui permettant de se situer par rapport au reste du monde et aux autres cultures. À des degrés divers, tous les gouvernements contribuent à sa diffusion en invoquant une nation singulière pour légitimer leur souveraineté étatique.

Le nationalisme peut prendre différentes formes, de l'exaltation fanatique des caractéristiques raciales, ethniques, religieuses ou des ambitions politiques d'un peuple à la quête raisonnée d'une communauté politique, d'un « vouloir vivre » ensemble dans un espace territorial aux frontières définies. Historiquement, il s'impose au XVIIIᵉ siècle comme un projet démocratique. C'est le sens de la Déclaration d'indépendance américaine de 1776 ou de la Déclaration française des droits de l'homme de 1789. Pendant la Révolution française et l'Empire, il devient messianique et conquérant sous l'effet de l'idéologie jacobine et des guerres napoléoniennes. Au XIXᵉ siècle, on voit surgir en Allemagne et en France, dans la mouvance des courants romantiques, des doctrines qui inscrivent le nationalisme dans des traditions historiques et culturelles ancestrales et qui définissent la nation comme une réalité organique. Cette conception du nationalisme va attiser la xénophobie et le racisme, et préparer le terrain des guerres mondiales. Après 1945, les idéologies nationalistes resurgissent une fois encore, le plus souvent pour donner leur inspiration et leur dynamisme aux mouvements de lutte contre l'impérialisme occidental. Les sphères dirigeantes du tiers-monde propagent alors tout un éventail de représentations du politique d'inspiration nationaliste pour affirmer leur identité culturelle, légitimer leur volonté d'indépendance, justifier leurs projets de développement économique. Ce nouveau nationalisme va constituer une entrave aux ambitions hégémoniques des grandes puissances.

2.2. *Les perspectives*

L'étude du nationalisme a donné lieu à une littérature abondante mais de nature généralement historique. Les analyses de sciences sociales restent pour leur part encore fragmentaires. La complexité du phénomène, la diversité de ses manifestations, de ses enjeux politiques rendent aléatoire tout essai de l'expliquer par une théorie générale. À l'instar de n'importe quel système d'identité collective, son étude doit mobiliser un éventail de disciplines, de la psychanalyse à la sociologie en passant par l'anthropologie, l'économie et l'histoire.

Les études contemporaines du nationalisme s'inscrivent dans le cadre des théories de la modernisation. Dans *Political Community at the International Level* (1954), K. Deutsch, dans une perspective typique du « behaviourisme » américain des années cinquante, voit dans le nationalisme une réponse à l'extension des réseaux de communication, au développement de nouveaux espaces sociopolitiques au XIXᵉ siècle. Un peuple est formé de gens qui partagent des moyens de communication telles la langue ou la culture, et qui ont des intérêts communs. Dans le processus de modernisation, les peuples perdent leurs allégeances traditionnelles et adoptent de nouvelles identités. Les élites exercent une influence déterminante dans la constitution du nationalisme.

L'analyse de Ernest Gellner est plus complète. Dans *Nations and Nationalism* (Oxford, 1983), il associe l'origine de cette idéologie au développement de la rationalité scientifique et critique, de l'esprit d'expérimentation visant à la découverte de causalités objectives, à l'apparition des modes de production capitalistes, à la croissance des villes et de la mobilité sociale, à l'émergence de l'individualisme bourgeois et d'une nouvelle intelligentsia. La société industrielle entretient une dynamique de progrès scientifiques et techniques. Par sa nature, elle est vouée à détruire les hiérarchies traditionnelles de la féodalité, fondées sur les statuts, pour engendrer une structure sociale caractérisée par une division du travail complexe et changeante. Ce mouvement, qui va de pair avec la croissance et l'élargissement des réseaux d'échanges et de communications, bouleverse les identités traditionnelles. Pour étendre son emprise, l'État instaure un système d'éducation généralisé et s'appuie sur les intellectuels pour créer les conditions d'une certaine homogénéité culturelle, pour produire les thèmes nationalistes nécessaires à l'intégration politique.

Ainsi, l'idéologie nationaliste donne sens et cohérence à ces changements de civilisation. Elle favorise la création d'un nouvel espace économique et politique en suscitant les systèmes de représentation nécessaires au développement de l'État moderne et de sa bureaucratie centralisée. Elle répond au vide émotionnel suscité par la disparition des anciennes communautés, par le mouvement d'urbanisation et l'anomie qu'il entraîne, par la diffusion d'une culture standardisée, par l'avancée d'une société anonyme et impersonnelle. Ses formes les plus violentes surgissent dans les phases critiques des mutations socio-économiques. Comme toute idéologie, le nationalisme entretient des illusions : il affirme défendre les valeurs et les traditions populaires, alors qu'il engendre une culture élitaire et centralisée. Il se définit comme un projet politique évident, partant d'émotions immédiates et partagées par l'ensemble du peuple, alors qu'il est construit et propagé par les sphères dirigeantes et leurs intellectuels.

La modernisation économique est irréversible. Les sociétés agraires sont condamnées, car elles n'ont plus les capacités de répondre aux exigences matérielles et culturelles du monde contemporain. La dynamique industrialisation-nationalisme, telle qu'elle s'est affirmée en Europe à partir de la Renaissance et de la Réforme, est unique. Les civilisations ne suivent pas les mêmes mouvements historiques, les mêmes mutations culturelles, bien qu'elles tendent aujourd'hui à s'interpénétrer. Dans la plupart des autres régions du monde, cette modernisation politique est imposée de l'extérieur, sans nécessairement rencontrer un ancrage endogène. L'impérialisme occidental joue ainsi un rôle fondamental dans le développement de ce nouveau nationalisme, car les mouvements d'indépendance qui se dressent contre la domination coloniale reprennent le modèle politique des métropoles. Comme en Europe, l'intelligentsia — en fait les élites professionnelles constituées notamment par des avocats, des enseignants, des fonctionnaires — préside à la naissance et au développement de l'idéologie nationaliste, et s'emploie ainsi à reproduire l'État d'origine colonial. L'urbanisation et la diffusion des systèmes éducatifs sont aussi un vecteur du nationalisme tel qu'il s'exprime en Asie, en Afrique ou en Amérique latine. Les États issus de la désintégration des empires européens s'attachent également à propager une idéologie nationaliste. Ils ont la même prétention hégémonique de créer par leur pouvoir centralisé un espace politique, économique et culturel homogène. La formation de l'État y exige aussi l'érosion des anciennes formes d'allégeance communautaire, traditions dans lesquelles liens de parenté ou le mythe d'un ancêtre commun jouaient souvent un rôle déterminant.

Guy Hermet penche pour une construction essentiellement politique de la nation et du nationalisme, en insistant sur le rôle de la guerre et de l'État dans la propagation de l'idéologie nationaliste, «de la caserne à l'école». Le nationalisme moderne, affirme-t-il, prend forme après la Révolution française (*Histoire des nations et du nationalisme en Europe*, Paris, éd. du Seuil, 1996, p. 85). Il est également contemporain de la transformation des appareils d'État. Il est favorisé par la croissance d'un espace politique nouveau, investi par des individus et des mouvements luttant contre les structures d'ancien régime et qui forment bientôt une opinion publique, instance de référence politique et de légitimation. Ces évolutions vont élargir la sphère politique, justifiant dans le même temps une emprise croissante du pouvoir étatique. L'État parvient à s'imposer parce qu'il contrôle les instruments de la violence, mais aussi parce qu'il peut mobiliser des mythes et de idéaux de solidarité politique qui constituent le ciment de son idéologie nationaliste, idéologie qui finit par supplanter ou transcender les autres systèmes de référence identitaire. Ainsi, pour chacun, l'identité nationale finit par être vécue comme une réalité tangible, incontournable, qui permet à la collectivité de se reconnaître, de baliser ses marques, de définir l'étranger.

Les nationalismes du tiers-monde ont pourtant leurs propres caractéristiques et leurs origines spécifiques. Anthony Smith dans *State and Nation and the Third World* (Brighton, 1983) discerne les débuts du nationalisme africain dans les premières révoltes contre la colonisation, rébellions précoces, structurées sur une base ethnique. L'influence des

Églises et des missions a également constitué un facteur dans sa naissance, notamment en Éthiopie. En différentes régions de l'Afrique sont apparus des mouvements religieux endogènes de type messianique, comme le kibanguisme au Congo belge. Parallèlement, la constitution d'une bureaucratie indépendante, liée à l'État colonial, fut un facteur décisif dans son développement. Enfin, au Moyen-Orient comme en Afrique, les mouvements nationalistes ont souvent gardé une base tribale.

3. Contestation de l'État-nation

Quel est l'avenir du nationalisme ? La vision dominante de la modernité dans les pays industrialisés met en pièces les anciennes conceptions de la souveraineté étatique. Apparemment, la ferveur nationaliste s'est considérablement atténuée en Europe occidentale. De l'État-nation à l'État-providence, s'est opéré un changement important, qui coïncide avec l'émergence d'une société à tendance égalitaire où la classe moyenne joue un rôle décisif. La quête du bien-être économique, l'hédonisme et l'utilitarisme de la « société de consommation » ne favorisent pas le nationalisme. Les deux guerres mondiales ont frappé d'interdit cette idéologie. Tout au plus surgit-elle à l'état de vestige à l'occasion de manifestations sportives, ou dans des mouvements épisodiques de xénophobie et de racisme contre les immigrés. Les gouvernements, les principaux partis et les média propagent une idéologie de l'intégration européenne qui répond aux nouvelles contraintes de l'économie et de la technostructure. Et lorsque le nationalisme s'exprime pour la défense d'intérêts sectoriels, il n'a plus la cohérence idéologique et l'influence qu'il avait dans le passé. Les classes dirigeantes européennes ont progressivement adopté l'anglais comme langue de travail : elles propagent les mêmes conceptions standardisées de l'univers et des choses, notamment par le biais de journaux et de magazines à vocation transnationale. On ne compte plus les essais tendant à rechercher dans l'histoire et les mythes de « la civilisation occidentale » des raisons de croire en la nécessité de construire une fédération européenne disposant de pouvoirs supranationaux. En fait, il n'est pas sûr que ces discours idéologiques, associés à la création de nouveaux symboles, tels que l'*Hymne à la joie de la Neuvième Symphonie* ou l'emblème étoilé sur fond d'azur, aient déjà créé une identité collective aux peuples membres de l'Union européenne.

4. L'ethnicité

Les mouvements ethniques constituent aujourd'hui une autre forme de contestation des structures étatiques existantes. Les idéologies nationalistes, en particulier celles des pays du tiers-monde, comprennent souvent une valorisation de caractéristiques ethniques telles que la langue, la religion, l'origine tribale ou la race. Pourtant, la plupart des États-nations rassemblent une pluralité de groupes ethniques, sans que ces derniers confèrent à leur identité culturelle et sociale une dimension politique susceptible d'alimenter des projets nationalistes distincts. On a évalué entre 5 000 et 7 000 le nombre de groupes ethniques différents alors que la société internationale comprend quelque 190 États. Les processus d'intégration nationale peuvent réussir, et conduire à la constitution d'États atteignant un haut niveau de cohérence idéologique et politique en dépit de l'hétérogénéité de leurs composantes. Mais ils peuvent aussi échouer, comme en témoigne la manifestation renouvelée de conflits ethniques au cours des dernières décennies.

En reconnaissant l'État et sa souveraineté comme un des fondements de l'ordre international, la Charte des Nations unies et le droit international accordent peu d'espace à la protection des minorités ethniques. Leurs revendications ne bénéficient pas de la même présomption de légitimité que celles émanant des gouvernements étatiques. Elles ne peuvent invoquer le principe du droit des peuples à disposer d'eux-mêmes, car l'exercice de ce droit concerne les peuples sous domination coloniale ou ceux qui sont victimes d'occupation, de domination ou d'exploitation étrangères. L'Organisation des Nations unies, en particulier sa Sous-Commission de la lutte contre les mesures discriminatoires et de la protection des minorités, travaille depuis 1947 à la définition de la notion de minorité sans être parvenue à un texte susceptible d'être approuvé par ses États membres. En fait, ce concept peut recouvrir une diversité de groupes ayant des revendication spirituelles, culturelles ou politiques très différentes. Certains mouvements qualifiés de minorité récusent cette notion pour défendre celle de nation ou de nationalité. En 1990, la Conférence sur la sécurité et la coopération en Europe (CSCE) s'est entendue sur un document définissant le problème des minorités comme une question de droits de l'homme devant trouver sa solution dans le cadre des États existants. On mise sur un régime démocratique fondé sur l'«État de droit», doté d'un système judiciaire indépendant, garantissant les libertés fondamentales, l'égalité des droits et des conditions entre tous les citoyens. C'est une autre manière de refuser de donner une légitimité aux mouvements ethniques dont l'objectif est de créer leur propre État-nation.

4.1. *La diversité des situations ethniques*

La problématique de l'ethnicité est d'une grande complexité, car elle s'inscrit dans des contextes historiques et politiques très divers. Il existe de nombreuses monographies mais peu d'études comparatives, de telle sorte qu'il est difficile de faire une typologie précise des problèmes ethniques, notamment des différentes formes conflictuelles qu'ils peuvent prendre.

Certaines communautés sont dispersées entre plusieurs pays, et revendiquent le droit de former leur propre État-nation. C'est le cas des Kurdes, vivant en Turquie, en Irak, en Syrie, en Iran et en Azerbaïdjan, des Palestiniens vivant en Israël, en Cisjordanie ou condamnés à l'exil, des Tamouls au Sri Lanka et en Inde. Les mouvements ethniques peuvent tendre à la sécession nationaliste. Ainsi en est-il des catholiques irlandais, des Basques, des peuples qui ont formé la Yougoslavie. Ils exigent souvent l'association avec un autre État, comme les Hongrois de Transylvanie ou les Grecs de Chypre. En Amérique latine, les mouvements «indigénistes» militent ou se battent pour la préservation de leur patrimoine culturel ancestral, une meilleure distribution des terres, un partage équitable des fruits du progrès économique. Il n'est pas rare qu'un mouvement ethnique développe au cours de son histoire des revendications différentes. Dans la plupart des villes des pays industrialisés, les mouvements ethniques semblent osciller entre des requêtes d'autonomie et d'assimilation.

4.2. Le rôle ambigu de l'histoire

Comme tout phénomène d'identité collective, les revendications fondées sur l'ethnicité plongent leurs racines dans la tradition et l'histoire. En Europe, les empires austro-hongrois et allemand comprenaient des populations très composites, mélanges de races, de langues, de religions, de cultures. Leur désagrégation après la Première Guerre mondiale a précipité le développement des passions nationalistes et les conflits de minorités. Malgré les échanges de populations consécutifs au traité de Versailles, les nouveaux États, en particulier la Tchécoslovaquie, la Hongrie, la Roumanie et la Yougoslavie, sont demeurés fragiles. Ils ont été minés par des revendications irrédentistes et des tendances centrifuges. Ces problèmes politiques ont été aggravés par la crise économique des années trente. Les fascismes les ont exacerbés ; Hitler en a fait un prétexte pour envahir la Tchécoslovaquie et la Pologne. Par la suite, la Seconde Guerre mondiale a entraîné de nouveaux bouleversements des frontières politiques en Europe centrale et dans les Balkans, des exodes, des déportations, ou l'extermination de millions de personnes.

À l'issue de ce conflit, les régimes communistes ont réprimé les revendications ethniques, comme toutes les autres formes de contestation politique. Mais avec la désintégration de l'Empire soviétique et l'effondrement des appareils d'État communistes, avec l'approfondissement de la crise économique, la problématique des nationalités brimées et des minorités insoumises a refait surface comme un enjeu majeur des confrontations politiques. Ces conflits entretiennent des guerres civiles qui sont parfois d'une extrême violence comme celles qui opposent Serbes et Bosniaques, ou Arméniens et Azéris à propos du Haut-Karabakh ou encore Géorgiens et Ossètes, également dans le Caucase. En Asie et en Afrique, les conflits ethniques peuvent être des séquelles lointaines de l'impérialisme européen. Les colonisateurs se sont souvent appuyés sur des minorités ethniques pour asseoir leur domination. On évalue à quelque vingt millions le nombre de Chinois vivant en minorité, principalement en Thaïlande, en Indonésie et en Malaisie. L'origine de ces migrations remonte parfois au XIVe siècle. Elles se sont amplifiées au XIXe siècle, et le statut de ces populations s'est dégradé dans la période postcoloniale. Au Moyen-Orient, le mouvement sioniste, soutenu par les Britanniques au cours de la Première Guerre mondiale, a créé en Palestine les conditions d'un conflit bientôt séculaire. En outre, la Grande-Bretagne et la France ont favorisé dans cette région la création d'États qui ne correspondaient nullement aux frontières des divisions ethniques. Les appareils d'État en Syrie, en Irak, en Arabie Saoudite et dans le Golfe ont gardé une base tribale. En Afrique également, les frontières nationales sont artificielles.

On invoque l'histoire pour analyser des situations conflictuelles très diverses, mais le poids du passé n'explique pas pourquoi les identités socioculturelles font l'objet de conflits politiques. En effet, si l'on peut admettre l'exigence universelle des solidarités de groupe comme élément nécessaire des identités individuelles et collectives, ces dernières ne sont pas nécessairement fondées sur l'ethnicité. La mobilisation des identités ethniques à des fins partisanes exige des «entrepreneurs», c'est-à-dire des intellectuels ou des hommes politiques ayant l'ambition de tirer avantage de ces particularismes socioculturels. Cette stratégie réussit lorsque les circonstances économiques et politiques créent un climat qui lui est favorable. Aujourd'hui, la reviviscence des passions ethniques se manifeste dans la plupart des régions du monde, ce qui signifie que les identités culturelles font l'objet d'une mobilisation politique très active.

4.3. *Les soutiens étatiques extérieurs*

Certains conflits ethniques s'alimentent parallèlement d'antagonismes interétatiques. C'est le cas à Chypre, où les communautés grecque et turque sont soutenues par Athènes et Ankara. Le problème du Cachemire est un autre exemple d'un conflit ethnique de portée internationale. La revendication musulmane serait une affaire intérieure indienne, si elle n'était pas soutenue par le Pakistan. Cette question est l'une des sources de tension permanente entre les deux pays. Si la guerre devait éclater entre le Pakistan et l'Inde à propos du Cachemire, il s'ensuivrait vraisemblablement d'énormes représailles contre les autres communautés musulmanes en Inde. Or, ces dernières comprennent plus

de cent millions de personnes. Ainsi les dimensions internes et internationales des conflits ethniques peuvent se trouver très étroitement
mêlées. En Amérique centrale, les États-Unis ont appuyé la revendication des indiens miskitos contre le gouvernement sandiniste. Au Liban
également, les dissensions entre communautés ont été traditionnellement
envenimées par de multiples interventions étrangères, notamment celles
d'Israël, de la Syrie, et des États-Unis.

4.4. L'échec du développement

Les attitudes interethniques, comme tout comportement de groupe, ne
peuvent pas être attribuées à des fondements culturels immuables, à des
rivalités ancestrales. En général, ces conflits résultent plutôt de disparités
structurelles, d'inégalités fondées sur des rapports de domination ou
d'exploitation économique. Ils ont souvent une analogie avec des oppositions de classe, car ils reflètent des rapports entre groupes dominants et
dominés. C'est notamment le cas au Burundi, où la majorité des Hutus,
qui constitue 85 % de la population, est dominée par les Tutsi qui en
forment 14 %. La situation était inverse au Rwanda avant le génocide de
1994. Les violences entre tribus n'ont cessé d'ensanglanter ces deux
États. En 1972-1973, des pogroms meurtriers auraient fait quelque
500 000 victimes parmi les Hutus au Burundi, en provoquant l'exode de
nombreux réfugiés. En 1988 à nouveau, des milliers de Hutus ont été
massacrés. En Amérique latine également, les groupes dirigeants ont
développé à l'égard des populations autochtones un système ressemblant
beaucoup à une forme de colonialisme. C'est très manifeste au
Guatemala. L'explosion démographique y a de surcroît avivé les
problèmes posés par une répartition inéquitable des terres. La politique
d'apartheid en Afrique du Sud avait réalisé un système de discrimination
entre races, notamment à l'encontre des Africains d'origine et des
Asiatiques qui formaient respectivement 70 % et 15 % de la population.
En Europe de l'Est, les propriétaires terriens ou les habitants des villes
étaient au XIXe siècle d'origine ethnique et sociale différente des populations indigènes, et l'imbrication de nationalités antagonistes reflète
aujourd'hui encore des processus de développement inégaux. Dans les
pays de l'Est européen, les mouvements ethniques et nationalistes viennent combler le vide politique créé par la désintégration du parti
communiste. Ces revendications sont mises au service d'ambitions
personnelles et de projets politiques ou spirituels très disparates.
   La pérennité des conflits ethniques manifeste aussi l'échec des projets
de développement postcoloniaux. En Afrique notamment, les dirigeants
des nouveaux États se sont appuyés sur des élites embryonnaires souvent
d'origine tribale. Ils ont cru que la construction nationale passait par le
développement d'un parti unique, d'une bureaucratie lourde, d'une
planification rigide de l'économie. Or, la construction de l'État, le

développement de son espace économique et politique exigent au contraire l'abandon des systèmes d'identité traditionnels fondés sur la communauté tribale, clanique, religieuse, la conversion à des valeurs sécularisées et l'adoption de modèles identitaires favorables aux investissements des entreprises transnationales et aux modes de consommation de l'économie occidentale. Dans le Sahel, notamment au Niger et au Mali, le cas des Touareg exprime bien ce phénomène. Ils vivent avec leurs traditions ancestrales, leurs tribus, leurs castes, leurs clans, leur conception singulière de l'islam, leur indépendance farouche en cinq pays différents. Mais les États n'aiment pas les nomades, comme le montre l'exemple des Tsiganes en Europe. Ils s'efforcent d'imposer leur administration, leur justice, leur police, leurs écoles.

Un peu partout dans le monde, l'emprise de la modernité a progressé, et avec elle les routes, les grands barrages, les entreprises prédatrices. Ce développement a brisé les modes de production et les formes d'organisation précapitalistes, changé les rapports des sociétés à leur terre, altéré les habitudes de consommation et les modes de production, favorisé l'accroissement de la démographie, poussé l'urbanisation et la marginalité sociale, contraint des populations à migrer en terres étrangères. En conséquence, il a fait éclater les communautés traditionnelles, sans pour autant améliorer les conditions de vie, ni créer des systèmes d'allégeance et d'organisation collective alternatifs. C'est vraisemblablement l'explication des mouvements insurrectionnels et même sécessionnistes en Birmanie, au Bengladesh, aux Philippines, en Malaisie, en Indonésie, ou de ceux qui secouent la Corne de l'Afrique, notamment l'Éthiopie, le Soudan, la Somalie. En Amérique latine, le cas des Indiens de l'Amazonie illustre également ce phénomène : le refoulement de leurs tribus par l'État brésilien et les entreprises économiques qu'il soutient, la destruction de leur environnement, ont de surcroît des conséquences néfastes sur l'écologie de la planète.

4.5. *Le fondamentalisme islamique*

La sociologie politique des fondamentalistes religieux, notamment de leur instrumentalisation à des fins de conquête du pouvoir, est analogue à celle d'autres manifestations violentes de l'identité culturelle. En terre d'islam, plus qu'ailleurs, la religion continue de marquer les identités collectives et les conceptions du pouvoir. Elle exerce souvent une emprise supérieure au nationalisme comme source de légitimité, en particulier dans les couches populaires. L'islam affirme *la priori*té de l'Umma, la «communauté des croyants» sur toute autre forme d'organisation collective. Il a parfois entravé le processus de sécularisation du pouvoir politique, le Coran n'offrant pas de base doctrinale pour la séparation de la sphère spirituelle et de celle du politique.

Dans son ouvrage *Le Regard mutilé* (Paris, A. Michel, 1989), Daryush Shayegan suggère aussi que la montée des fondamentalismes religieux dans les pays du Moyen-Orient et d'Afrique du Nord serait un échec de la modernisation politique. Le développement de l'État-nation, accompagnant le processus d'industrialisation, ne fut pas assorti de l'intégration du paradigme rationaliste issu des Lumières. En Occident, la contestation de la religion fut à la base de l'esprit scientifique, et a débouché sur une critique de la politique, en l'occurrence sur une contestation de l'absolutisme étatique issu des guerres de religion. Or, dans nombre de pays du tiers-monde, au Moyen-Orient notamment, cette évolution n'a pas eu lieu. On a vu apparaître une bureaucratie, support d'un État qui diffusait des valeurs et des symboles assez semblables à ceux qui ont accompagné la modernisation en Occident, sans que la majorité de la population soit associée et convertie aux nouveaux paradigmes de la rationalité technologique, nécessaire au développement complet de ce processus modernisateur. On a vu s'affirmer des États qui disposaient d'une force policière considérable, conférant aux détenteurs du pouvoir une puissance quasiment absolue mais non contrôlée. Par ailleurs, la violence et la rapidité des mutations en cours, les phénomènes de polarisation et surtout de destructuration sociale qui les accompagnent ont conduit les masses à se blottir dans un ensemble de valeurs religieuses non fonctionnelles par rapport aux contraintes de l'économie moderne. La religion a pris une place d'autant plus grande que les mouvements d'indépendance nationale se sont appuyés sur elle, contrairement aux nationalismes européens qui se sont généralement construits contre les religions. Pourtant, l'emprise de l'islam au Moyen-Orient n'a pas empêché la révolution kémaliste, ni l'émergence de régimes constitutionnels en plusieurs pays musulmans. En outre, l'islam n'a pas entravé le développement de l'État-nation, mais a souvent donné une orientation spécifique aux revendications nationalistes, notamment dans le conflit israélo-arabe où Jérusalem est devenu un enjeu symbolique de cette confrontation.

Chapitre 8

Les organisations internationales

Les organisations intergouvernementales exercent une influence grandissante dans la dynamique des relations internationales. Avec les États, elles font désormais partie des fondements institutionnels de l'ordre mondial. Elles ont chacune des caractéristiques spécifiques qui définissent leur rôle d'acteur de la politique internationale. Le congrès de

Vienne en 1815 a créé la première organisation intergouvernementale de l'époque contemporaine, en établissant la Commission permanente pour la navigation sur le Rhin, une institution dont le mandat était d'assurer la liberté de navigation et de commerce sur ce fleuve. Vers la fin du XIXᵉ siècle, on voit naître d'autres organisations à vocation technique, telles que l'Union télégraphique internationale en 1865, le Bureau international des poids et mesures (1875), puis l'Union postale universelle (1878), l'Union pour la protection de la propriété industrielle (1883). C'est toutefois à l'issue de la Première Guerre mondiale que se constitue un nouveau type d'organisations intergouvernementales avec la création de la SDN et le Bureau international du Travail, institutions à vocation politique, manifestant la volonté des États d'instaurer de nouveaux mécanismes pour garantir leur sécurité collective et pour étendre leur coopération dans les domaines politique, économique et social.

Ces développements institutionnels prennent un grand essor au cours de la Seconde Guerre mondiale, avec la création à Bretton Woods en 1944 du Fonds monétaire international et de la Banque internationale de reconstruction et de développement («la Banque mondiale»), avec l'élargissement du mandat de l'Organisation internationale du Travail (OIT), avec la mise sur pied de l'Organisation de l'alimentation et de l'agriculture (FAO), et surtout avec la constitution de l'Organisation des Nations unies à San Francisco. On voit dès lors proliférer les institutions spécialisées et les organes des Nations unies, qui forment aujourd'hui un ensemble d'une grande complexité, comprenant quelque 50 000 fonctionnaires internationaux. D'autres structures de coopération régionale se mettent en place en marge des Nations unies. La réalisation du plan Marshall donne naissance à l'Organisation européenne de coopération économique (OECE), qui deviendra en 1961 l'Organisation de coopération et développement économique (OCCD). Pour assurer leur sécurité, la Grande-Bretagne et la France établissent en 1948, avec d'autres États européens, l'Union de l'Europe occidentale. Peu après, ces pays fondent, avec les États-Unis et le Canada, l'Alliance atlantique (1949). Dans la même dynamique politique, on voit se dessiner un mouvement de construction européenne avec la naissance du Conseil de l'Europe en 1949, le traité de Paris de 1951 instituant la Communauté européenne du charbon et de l'acier (CECA) puis le traité de Rome instaurant en 1957 la Communauté économique européenne (CEE ou Marché commun) et la Communauté européenne de l'énergie atomique (Euratom). On voit également apparaître d'autres structures de coopération régionale, telles l'Organisation de la Ligue arabe en 1945, l'Organisation des États américains (OEA) en 1948 ou l'Organisation de l'unité africaine (OUA) en 1963.

Le nombre des organisations internationales n'a cessé de croître depuis la Seconde Guerre mondiale. La plupart d'entre elles ont leur siège dans les pays occidentaux, à Bruxelles, à Genève, à New York, à Washington, à Rome, à Vienne. Cette croissance institutionnelle manifeste l'élargissement et le renforcement des liens de coopération entre États, ainsi que leur interdépendance croissante. Ces organisations exercent des mandats très divers recouvrant tous les domaines de la vie économique, politique, sociale et culturelle. Les États ont besoin d'elles, notamment pour maintenir l'ordre international et assurer la défense de leur sécurité, pour définir les principes et les normes du droit international, pour négocier leurs différends et harmoniser leurs vues politiques, pour promouvoir leur développement économique et social, pour gérer des projets communs, pour étendre leurs réseaux de communication et d'échanges culturels.

Paradoxalement, la science politique a faiblement progressé dans l'analyse de ces organisations, de leur fonctionnement interne, de leur processus de décision, de leur rôle politique. Différentes raisons expliquent cette carence. Tout d'abord, le paradigme réaliste tend à leur dénier le statut d'acteurs internationaux, les considérant comme des instruments des États, sans véritable autonomie. Par ailleurs, la complexité de leur administration, la diversité de leurs mandats, leur nature souvent technique, leur langage parfois ésotérique, rendent leur accès difficile pour les chercheurs qui n'en ont pas une expérience pratique. Enfin, leurs missions idéalistes au service de la paix, du développement, de la coopération internationale en général, peuvent entraver les efforts d'analyse rigoureuse. Il apparaît en effet que les travaux sur les Nations unies et sur leurs institutions spécialisées ou leurs différents organes se situent d'ordinaire dans une perspective historique, descriptive ou juridique. Et s'il existe des études de bonne qualité sur le rôle et le fonctionnement des institutions de Bretton Woods, elles demeurent en général d'orientation économique.

1. Une typologie aléatoire

Il n'est pas facile de classer les organisations internationales, car elles diffèrent beaucoup par leurs objectifs, leurs structures institutionnelles, leur mode de fonctionnement, la nature de leurs programmes, leurs capacités politiques. On opère couramment une distinction entre les organisations à vocation universelle — les Nations unies et leurs institutions spécialisées, qui rassemblent la quasi-totalité des États —, et celles poursuivant des objectifs dans un contexte géographique spécifique, celui d'un continent ou d'une région. Ce principe de classification n'est pas très éclairant car la géopolitique de ces institutions est imprécise. Les Nations unies ont des commissions régionales dont le mandat tend à développer la coopération économique en Europe, en Amérique latine, en Afrique ou en Asie. En outre, certaines organisations considérées comme « régionales » poursuivent des activités dans le monde entier et ont pour membres des États qui appartiennent à différents continents. Ainsi l'OCDE, issue d'une organisation « atlantique », l'OECE, rassemble aujourd'hui vingt-neuf des principaux pays industrialisés, dont l'Australie et le Japon. Ces pays fournissent 95 % de l'aide bilatérale au développement. Leurs économies comptent pour environ 70 % du produit brut mondial et sont à l'origine des trois quarts des échanges internationaux. Il est donc compréhensible que les politiques que l'OCDE contribue à définir aient des effets planétaires. Par ailleurs, les processus d'intégration régionale ne sont pas comparables, et les institutions créées à cet effet sont trop différentes pour faire l'objet de comparaisons pertinentes, comme le montre la différence entre celles de l'Union européenne et celles de l'OEA ou de l'OUA qui n'ont guère d'autonomie politique.

1.1. *La diversité des mandats*

Il est de surcroît difficile d'établir une démarcation claire entre ces organisations en comparant les mandats qui définissent leurs domaines d'activité, car ils sont rarement spécifiques. Ainsi, l'OUA a reçu une mission de grande envergure : le renforcement de l'unité et de la solidarité des États africains. Nombreuses sont les organisations à vocation universelle ou régionale dont les objectifs constitutionnels sont définis en termes généraux. En outre, les mandats peuvent évoluer au cours du temps, sans que les buts initiaux aient été modifiés ; ils ne définissent pas toujours clairement les fonctions effectives de ces institutions. Ainsi l'Acte constitutif de l'Unesco confère à cette organisation des tâches précises en matière de science, d'éducation, de culture et de communication, mais également une mission en matière de paix, de droits de l'homme et même de développement. Par ailleurs, les frontières de la politique ne sont pas tranchées. C'est la raison pour laquelle certaines organisations ont un mandat aussi bien en matière de sécurité collective que dans les domaines économique et social. C'est le cas des Nations unies, mais aussi de l'Union de l'Europe occidentale, de l'Alliance atlantique ou de l'OEA. Par ailleurs, certaines organisations dont la mission paraît essentiellement économique exercent un rôle politique évident. Les institutions fondées à Bretton Woods, la Banque mondiale et le Fonds monétaire international ont pour objectif de créer les conditions nécessaires au fonctionnement harmonieux du système économique libéral, notamment en facilitant l'expansion et l'accroissement du commerce international. C'est bien évidemment un objectif politique, même s'il est articulé en termes économiques.

Une différence peut s'établir cependant entre les institutions dont la vocation est essentiellement politique et celles dont le mandat est avant tout opérationnel et technique. H. Jacobson et R. Cox distinguent dans *The Anatomy of Influence (1974)* les organisations offrant un «forum» pour la négociation qu'ils classent dans les institutions politiques, de celles qui ont des tâches spécialisées offrant des services dans le domaine de la coopération au développement, de l'assistance humanitaire, ou dans l'accomplissement d'objectifs sectoriels précis. Par exemple, les institutions spécialisées des Nations unies ont pour mission de renforcer la coopération internationale dans des domaines spécifiques, par exemple celui de la santé (OMS), de l'agriculture (FAO), des réfugiés (HCR) des télécommunications (UIT) ou de la propriété intellectuelle (OMPI). L'OPEP est de même une organisation ayant pour but la défense des intérêts des pays exportateurs de pétrole, notamment par la régulation de l'offre et la fixation du prix de cette matière première.

Cette typologie est imprécise, car la distinction par domaine d'activité ne peut pas toujours être maintenue. La plupart des organisations du système des Nations unies exercent à la fois des fonctions politiques et des tâches spécialisées. Ainsi l'ONU est également responsable de programmes de coopération technique. En outre, la notion de service suggère une entreprise neutre du point de vue idéologique et politique, ce qui n'est pas toujours le cas. Certes, les fonctions de l'Organisation internationale de l'aviation civile, de l'Organisation mondiale de la météorologie ou de l'Union postale universelle sont essentiellement techniques et leurs enjeux politiques sont faibles. En revanche, la gestion et la maîtrise de certains domaines techniques peuvent conférer un pouvoir politique non négligeable. La nature d'un projet n'est pas toujours inscrite dans sa définition. Les programmes de coopération technique engagés par les institutions internationales, surtout par la Banque mondiale ou le Programme des Nations unies pour le développement (PNUD), continuent d'être le relais de processus socio-économiques à forte charge idéologique et politique, notamment par leurs effets de démonstration. Aujourd'hui, les activités de l'Organisation internationale des télécommunications sont d'un genre très technique, mais leurs enjeux politique, économique et social sont considérables puisqu'ils concernent en particulier le développement des communications par satellite. Pour cette raison, les organes constitutifs (Conférence générale ou Assemblée, et Conseil) des institutions spécialisées telles que l'OMS, l'UNESCO, l'OIT ou la FAO sont le théâtre de disputes politiques et de négociations diplomatiques compliquées. Leur mandat est spécialisé, mais les décisions portant sur la nature des services qu'elles doivent produire ou sur l'orientation générale de leurs programmes sont politiques. De surcroît, la capacité des organisations à rendre des services utiles est indissociable du climat politique présidant à leur gestion. Réciproquement, leurs défaillances administratives reflètent souvent des oppositions entre les États membres sur la mission qu'elles doivent accomplir lorsqu'elles n'expriment pas le peu d'intérêt politique que les gouvernements leur accordent.

1.2. *La disparité des structures*

On peut également distinguer les institutions selon la nature de leurs organes constitutifs, les compétences attribuées à leur secrétariat, leurs modes de recrutement, notamment l'importance du facteur géographique dans la répartition des postes, leur degré d'autonomie par rapport aux directives des gouvernements, l'importance de leur bureaucratie. À nouveau, cette classification n'est pas très éclairante. Certaines organisations, par exemple le Conseil de l'Europe ou la plupart des institutions spécialisées des Nations unies reposent sur une structure administrative relativement importante répondant à des critères exigeant de répartition géographique des postes, mais sont dotées de faibles moyens d'action. D'autres, l'OMC notamment, ont un secrétariat de faible dimension, mais jouent un rôle de premier plan dans la vie internationale. Il faut aussi mentionner le fait que certains mécanismes de coopération internationale ne reposent sur aucune structure de gestion administrative. Ainsi, les chefs d'État et de gouvernement des principaux pays industrialisés ont pris l'habitude de se réunir régulièrement dans le cadre du G 7. Or, ce groupe ne possède pas de secrétariat permanent, ses délibérations étant préparées par des hauts responsables des pays concernés que l'on a désignés sous le nom de *sherpas*.

2. Le pouvoir des organisations

Le rôle et l'influence politique de ces organisations permettraient un classement significatif. L'exercice est malheureusement difficile. Les attributs de l'autorité et du pouvoir, nous l'avons vu, n'existent pas en soi. Ils s'analysent en fonction des circonstances et des objectifs poursuivis par les acteurs de la scène internationale. En général, les organisations internationales ont des capacités politiques limitées. Elles sont établies par la volonté des États, et ces derniers peuvent invoquer leur souveraineté pour se soustraire aux obligations que leur impose leur qualité de membre. Elles ont constitutionnellement une faible autonomie dans la définition et la réalisation de leurs programmes puisque la mise en œuvre de leurs activités et de leurs décisions dépendent du bon vouloir des gouvernements nationaux. Leur budget est également de faible importance, et il n'est pas rare de constater que leurs États membres prennent des libertés avec le paiement de leurs contributions régulières, soit parce qu'ils manquent de ressources, soit parce qu'ils entendent marquer leur désapprobation à l'égard de certaines décisions prises à la majorité ou encore faire pression sur l'orientation des programmes élaborés par ces organisations. La France et l'URSS refusèrent de payer les opérations de maintien de la paix au Congo. Les États-Unis ont accumulé dans les années 1990 des arriérés d'environ deux milliards et demi de dollars dans le paiement de leur contribution à l'ONU. En outre, les gouvernements sont libres de quitter une institution dont ils désapprouvent l'orientation. Ainsi les États-Unis, le Royaume-Uni et Singapour se sont retirés de l'Unesco en 1984. En 1997, le gouvernement britannique décidait de réintégrer cette organisation.

2.1. *L'autonomie institutionnelle*

Les analyses de Max Weber sur la domination politique soulignent la nécessité d'une continuité administrative reposant sur l'«intérêt» et l'«honneur». Le déplacement du pouvoir vers la sphère internationale a imposé la constitution de bureaucraties internationales stables, formées de fonctionnaires dont le statut et les privilèges sont garantis par des dispositions de droit international et des pratiques régulières. Les secrétariats internationaux sont en principe indépendants des pouvoirs étatiques. Dans la tradition issue des pratiques de la SDN, la Charte des Nations unies a défini les règles de la fonction publique internationale en prévoyant que : «Dans l'accomplissement de leurs devoirs, le secrétaire général et le personnel ne solliciteront ni n'accepteront d'instructions d'aucun gouvernement ni d'aucune autorité extérieure à l'organisation» (art. 100). En outre, les modalités de recrutement se trouvent également définies : «La considération dominante dans le recrutement et la fixation des conditions d'emploi du personnel doit être la nécessité d'assurer à l'Organisation les services de personnes possédant les plus hautes qualités de travail, de compétence et d'intégrité. Sera dûment prise en considération l'importance d'un recrutement effectué sur une base géographique aussi large que possible» (art. 101, § 3). En réalité, ces principes n'ont pas été suivis. La composition du secrétariat des Nations unies a été dominée par les représentants des pays occidentaux jusque dans les années soixante-dix. À la suite du processus de décolonisation, il est devenu plus composite et les fonctionnaires issus des nouveaux États ont exercé une influence croissante sur l'évolution du système. Pourtant, les considérations de répartition géographique ne sont pas toujours bien respectées, les grandes puissances s'arrogeant des prérogatives particulières pour les postes de haute responsabilité. De surcroît, les gouvernements ont gêné le recrutement de personnes compétentes en invoquant précisément cette exigence de répartition géographique équitable. Dans la pratique, nombreux sont les fonctionnaires internationaux qui gardent des relations suivies avec le gouvernement de leur pays d'origine. En y poussant leurs ressortissants, les États s'efforcent en effet de limiter l'indépendance politique des administrations internationales.

Malgré ces anomalies, les secrétariats s'emploient à répondre aux exigences fonctionnelles de leur institution. Ils sont dépositaires du savoir-faire et de la mémoire de ces organisations. Ils préparent, parfois avec l'aide d'experts de leur choix, les textes normatifs, les documents et les études qui orienteront les opinions publiques et la position des gouvernements. L'autorité et le poids politique d'une organisation internationale dépendent en partie de la qualité de sa direction et du niveau général d'expertise de son secrétariat. Une organisation dont le Directeur général est défaillant du point de vue de la gestion et de l'autorité intellectuelle perd beaucoup de sa crédibilité comme le montre le marasme de l'Unesco depuis les années 1980.

En les établissant ou en y adhérant, les États assument des obligations de portée générale qui finissent par infléchir leur pratique politique. L'exemple des engagements qu'ils prennent en matière de droits de l'homme peut illustrer ce phénomène politique. Les institutions du système des Nations unies, ou plus exactement les représentants des gouvernements sous leurs auspices, ont élaboré de nombreuses conventions, assorties de mécanismes de mise en œuvre en principe contraignants. Les procédures «onusiennes» sont de nature diverse, mais elles comprennent généralement pour les États l'obligation de faire périodiquement rapport à un organe approprié de l'état de la mise en œuvre des conventions auxquelles ils ont adhéré, ou de répondre aux plaintes ou communications dont ils sont l'objet, ou encore d'accepter des missions d'enquête. Certes, ces mécanismes sont insuffisants et leurs effets restent aléatoires. Pourtant, les gouvernements doivent rendre des comptes devant les organes qu'ils ont institués, répondre aux critiques dont ils font l'objet, notamment de la part des ONG, modifier les situations condamnables du point de vue de leurs obligations internationales.

Les organisations internationales possèdent donc une autonomie par rapport aux forces politiques qui les constituent. À ce titre, elles sont des pôles d'autorité échappant partiellement à l'action de leurs États membres et deviennent des acteurs du système international. Cet ensemble institutionnel, produit d'une histoire, consolidé par les traditions et les pratiques sociales dominantes, devient partie prenante dans les aléas de la politique internationale. Les secrétariats ont, en particulier, la capacité de mobiliser des symboles et de rassembler des connaissances qui en font des acteurs à part entière de la scène internationale.

Le contrôle de ces organisations par les principaux acteurs de la société internationale est d'autant plus étroit qu'elles assument des mandats importants. Au sein d'une même organisation, toutes les instances n'ont pas la même marge de manœuvre. Ainsi, le Conseil de sécurité est un instrument docile des États qui le composent, en particulier de ses membres permanents qui disposent d'un droit de veto pour entraver toute décision pouvant aller à l'encontre de leurs intérêts. Cependant, les négociations qui s'y déroulent obéissent à une dynamique institutionnelle propre, qui varie selon les circonstances historiques et les qualités personnelles de ses membres. Comme toute instance politique, le Conseil de sécurité représente davantage que les forces étatiques et les personnalités qui le composent.

2.2. *Le vote pondéré*

Les États-Unis et leurs alliés exercent une influence dominante sur l'orientation des institutions de Bretton Woods, puisque les statuts de ces institutions prévoient un système de vote pondéré conférant la majorité du pouvoir de décision aux membres contribuant le plus à leurs ressources financières. Grâce à ce dispositif, les États-Unis disposent d'un poids politique important au FMI et à la Banque mondiale. Il est donc inconcevable que ces organisations prennent une position contraire aux intérêts américains. Tout au long de leur histoire, elles furent souvent des instruments de la politique américaine. Aujourd'hui encore, il n'est pas rare que la Banque mondiale continue d'orienter sa politique de prêt en fonction de priorités du gouvernement américain. En outre, les conceptions économiques de la Banque mondiale ont le plus souvent reflété celles de l'Administration américaine. Ainsi, au début des années quatre-vingt, les institutions de Bretton Woods se sont employées d'une manière générale à définir les règles que les pays endettés devraient suivre pour obtenir de nouvelles ressources financières afin d'éviter une banqueroute de leurs économies. Elles bénéficient aujourd'hui, avec l'appui du G 7, d'une grande autorité dans la définition des critères de fonctionnement de l'économie mondiale. Cependant, malgré cette emprise politique, les conceptions économiques et politiques du FMI et de la Banque mondiale ont évolué selon une dynamique institutionnelle propre. Elles ont été influencées par la personnalité de leurs différents présidents, mais aussi marquées par les circonstances internationales, les tendances composites de ses États membres.

3. La défense de l'ordre

Les organisations intergouvernementales assument plusieurs fonctions. Premièrement, les organisations internationales contribuent à la défense de la paix et de la sécurité internationales. En second lieu, elles participent à la création des valeurs politiques et des normes juridiques qui fondent l'ordre international et orientent la politique des États ou des autres acteurs internationaux. À ce titre, elles constituent des instances de légitimation. En troisième lieu, elles favorisent la diffusion des connaissances. Quatrièmement, elles offrent un espace pour le déploiement de la diplomatie publique et des négociations multilatérales. Elles constituent ainsi un lieu d'affrontement et de négociations politiques marquant la dynamique des relations intergouvernementales. Enfin, elles gèrent des secteurs de la coopération intergouvernementale. En réalité, il n'est pas possible d'opérer une distinction stricte entre ces différentes fonctions. Cette classification ne permet pas non plus de démarquer les catégories d'organisation selon leur mandat. Elle est toutefois utile pour comprendre le rôle des principales organisations internationales, notamment celui du système des Nations unies.

3.1. Le rôle du Conseil de sécurité

L'ONU a pour mandat principal le maintien de l'ordre international. L'article 2 § 4 prévoit que : «Les membres de l'Organisation s'abstiennent, dans leurs relations internationales, de recourir à la menace ou à l'emploi de la force, soit contre l'intégrité territoriale ou l'indépendance politique de tout État, soit de toute autre manière incompatible avec les buts des Nations unies.» Sa Charte interdit la guerre, la seule exception à ce principe étant le cas de légitime défense prévu par l'article 51. La Charte autorise aussi l'emploi de la force en application des sanctions contre un État agresseur prévues au titre de son chapitre VII. Elle donne à cet effet une large compétence au Conseil de sécurité pour empêcher le recours à l'agression et, le cas échéant, pour la repousser. Cet organe est composé de quinze membres de l'Organisation, dont les cinq membres permanents — la République de Chine, les États-Unis, la France, le Royaume-Uni et la Russie — qui disposent d'un droit de veto sur ses décisions. Le Conseil de sécurité s'efforce d'arbitrer les conflits entre États, définit les conditions acceptables pour le changement du *statu quo,* fonde l'autorité des coalitions militaires qui sont mobilisées contre les États agresseurs. Le mécanisme est toutefois très imparfait, puisque son fonctionnement dépend de l'accord des grandes puissances.

3.2. L'échec de la sécurité collective

Au cours de la guerre froide, le Conseil de sécurité fut le plus souvent inopérant. Dès ses premières sessions en 1946, l'URSS bloque son fonctionnement par l'usage répété de son droit de veto. Les autres membres permanents agissent bientôt dans le même sens. Cependant en 1950, lorsque la Corée du Nord attaque la Corée du Sud, l'URSS est absente du Conseil de sécurité, en signe de protestation contre le refus des États-Unis d'accepter la Chine communiste au sein des Nations unies. Le Conseil de sécurité passe alors plusieurs résolutions condamnant l'agression nord-coréenne, et invite les membres des Nations unies à porter assistance à la Corée du Sud. Les forces des États-Unis et de leurs alliés vont pouvoir combattre sous le drapeau des Nations unies. Le Conseil de sécurité devient ainsi, momentanément, un instrument de la politique occidentale.

En revanche, il s'avère incapable d'agir pour prévenir les conflits au Moyen-Orient, ou pour trouver une solution à la guerre du Viêt-nam, pour condamner les agressions soviétiques en Hongrie, en Tchécoslovaquie ou en Afghanistan, pour condamner l'agression irakienne contre l'Iran et pour mettre un terme à ce conflit qui dura pendant plus de huit ans. Malgré cette paralysie, les États l'ont régulièrement saisi pour condamner des menaces d'agression, pour mobiliser la « communauté internationale » en leur faveur, pour dénoncer la politique de leurs ennemis, pour dramatiser certains antagonismes politiques. En d'innombrables situations, le Conseil de sécurité a permis aux États de jouer leurs conflits sur le mode symbolique. À ce titre, il a exercé un rôle politique équivoque. Il a souvent exacerbé certaines crises internationales en donnant aux États en conflit une tribune leur permettant de propager leurs passions nationalistes. Ainsi en va-t-il du rôle néfaste qu'il joue dans les semaines qui précèdent et suivent la guerre de 1967 au Moyen-Orient. Il parvient toutefois à s'entendre en novembre 1967 sur la fameuse résolution 242 qui définit les principes devant guider le retrait des territoires occupés par Israël et la restauration de la paix dans cette région.

Le Conseil de sécurité a aussi contribué au dénouement ou à l'apaisement de certains conflits, en recommandant au secrétaire général de prendre contact avec les belligérants ou d'offrir ses bons offices, en envoyant des missions d'enquête. Le mécanisme des opérations de maintien de la paix, mis sur pied lors de la crise de Suez en 1956, a été depuis lors fréquemment utilisé au Proche-Orient, au Congo ou à Chypre.

En 1965, le Conseil de sécurité assume à nouveau son mandat dans le domaine de la sécurité collective, lorsque la minorité européenne proclame unilatéralement l'indépendance de la colonie britannique de Rhodésie du Sud. À la requête de la Grande-Bretagne, il décrète, pour la première fois de son histoire, des sanctions économiques et financières contre un État dont la quasi-totalité des pays membres de l'ONU contestent la légitimité et le projet politique.

Avec la fin de la guerre froide, et le changement de la politique soviétique, le Conseil de sécurité est à nouveau investi par les grandes puissances qui l'utilisent pour défendre leur conception de l'ordre international et, le cas échéant, pour donner à leur orientation de politique étrangère l'autorité que confère le soutien des Nations unies. Ainsi, lorsque l'Irak envahit le Koweit en août 1990, les sphères dirigeantes américaines sont déterminées à repousser cette agression. À nouveau, le Conseil de sécurité est utilisé essentiellement comme instance de légitimation. Son appui est nécessaire. L'agresseur est puissant. Les États-Unis ne peuvent vaincre l'armée irakienne sans le concours économique et militaire d'autres États qui ont à des titres divers également besoin d'inscrire leur engagement dans le cadre des Nations unies. En agissant par l'intermédiaire de l'ONU, la Maison-Blanche peut obtenir la mobilisation de l'opinion américaine en faveur de l'intervention armée. Le Conseil de sécurité a adopté dans ce contexte une douzaine de résolutions pour légitimer l'intervention de la coalition dirigée par les États-Unis contre l'Irak. À l'issue de la guerre, le Conseil de sécurité a autorisé la destruction du programme d'armements nucléaires, chimiques et biologiques de l'Irak, sous la supervision d'experts des Nations unies.

3.3. Les opérations de maintien de la paix

Après la fin de la guerre froide, le Conseil de sécurité a autorisé la mise sur pied de nombreuses opérations dites de «maintien de la paix», engageant l'ONU dans un éventail d'interventions disparates, avec des moyens souvent insuffisants. Il y avait en 1994 quelque 17 opérations en cours, totalisant plus de 85 000 personnes, civiles et militaires. L'ONU fut ainsi impliqué dans la reconstruction de certains États déchirés par des guerres civiles, notamment au Cambodge, en Angola, au Salvador et au Mozambique. L'Organisation fut aussi engagée dans des opérations hybrides, à la fois humanitaires et de sécurités collectives, qui aboutirent à des fiascos du point de vue de sa crédibilité. Après avoir essuyé des pertes de soldats dans l'opération de maintien de la paix qu'il avait engagée en Somalie, sous l'éclairage des média, le gouvernement américain décida de mettre un terme à cette entreprise de sécurité humanitaire. Il annonça en mai 1994 son intention de beaucoup restreindre le soutien qu'il apporterait désormais à de nouvelles opérations de maintien de la paix et de les appuyer dans la mesure où elles pouvaient concerner directement les intérêts nationaux des États-Unis. Ainsi, l'ONU ne put rien pour empêcher le génocide du Rwanda. Dans la guerre de l'ex-Yougoslavie, les États-Unis, la Grande-Bretagne et la France utilisèrent le Conseil de sécurité pour masquer leur refus d'intervenir sérieusement dans ce conflit. Lorsque le gouvernement américain décida de mettre un terme à ces hostilités, il mobilisa l'OTAN, contribuant une nouvelle fois à déconsidérer l'image des Nations unies. La très grave crise financière de l'Organisation dans les années 1990, suscitée par le refus ou l'incapacité des États de payer leurs contributions, a également amenuisé sa capacité de jouer son rôle en matière d'opération de la paix et de la sécurité collective.

3.4. Le secrétaire général

L'article 99 de la Charte des Nations unies confère par ailleurs un rôle politique au secrétaire général de l'Organisation. Le secrétaire général peut contribuer au dénouement de certaines crises politiques, notamment en facilitant la négociation de solutions diplomatiques, en développant des missions de bons offices, en organisant des opérations de maintien de la paix. Dag Hammarskjold, secrétaire général de l'ONU, en profita pour infléchir le cours des relations internationales, notamment au moment de la crise de Suez ou lors de l'indépendance du Congo. Ses successeurs n'ont pas eu la même autorité ni le même courage. Cependant, la fin de l'antagonisme Est-Ouest a redonné plus de poids politique au rôle du secrétaire général des Nations unies.

3.5. *La mise en œuvre du droit international*

Enfin, toujours dans la défense de l'ordre établi, les Nations unies accordent un rôle important au droit international et aux procédures de règlement pacifique des conflits. Ainsi la Charte à son article 33, stipule que les États membres doivent rechercher la solution à leur conflit « par voie de médiation, de conciliation, d'arbitrage, de règlement judiciaire, de recours aux organismes ou accords régionaux, ou par d'autres moyens pacifiques de leur choix ». L'Organisation mondiale s'est donc efforcée de promouvoir la pratique des bons offices et de la médiation. La Cour internationale de justice, qui succède après la Seconde Guerre mondiale à la Cour permanente de justice internationale créée dans le cadre de la SDN, devient l'« organe judiciaire principal des Nations unies ». Durant la guerre froide, son rôle fut faible, et des États comme la France et les États-Unis ont abrogé leur déclaration d'acceptation de la juridiction obligatoire de la Cour. On a vu néanmoins se multiplier au sein du système des Nations unies les mécanismes et procédures tendant à promouvoir le respect du droit international.

3.6. *L'Assemblée générale et le droit*

L'Assemblée générale, suivant les dispositions de l'article 13 de la Charte, a également contribué au développement du droit international et à sa codification. De nombreuses conventions ont été adoptées sous ses auspices, en des domaines aussi divers que les droits de l'homme, le droit de la mer, les relations diplomatiques et consulaires, ou l'exploration et l'utilisation de l'espace extra-atmosphérique. Les négociations entre les grandes puissances sur les questions de sécurité et de contrôle des armements se sont généralement déroulées en dehors des Nations unies. Néanmoins, l'Assemblée générale a créé un climat en leur faveur ; elle a adopté formellement le résultat des accords produits en dehors de ses enceintes, comme ce fut le cas pour le traité de non-prolifération des armes nucléaires (1968), ou pour la convention sur les armes biologiques (1971). Le système des Nations unies dans son ensemble a donné un essor considérable au développement du droit international, le rôle de l'OIT dans les domaines de la protection des travailleurs apparaissant particulièrement remarquable à cet égard.

4. La définition des valeurs politiques

Nous avons vu que les structures de la société internationale n'étaient pas compréhensibles sans référence aux principes politiques et juridiques déterminant leur légitimité. Les organisations internationales jouent un rôle important à cet égard. Elles sont créées par les États mais leurs constitutions, une fois adoptées, définissent des objectifs éthiques, idéologiques et politiques auxquels les États membres sont censés se conformer. Les institutions internationales sont donc les dépositaires des principes et des normes de l'ordre international. En outre l'autorité politique nécessaire à l'exercice du pouvoir repose sur la mobilisation d'un imaginaire collectif façonné par des symboles, des mythes, des discours à vocation normative ou politique. Les organisations internationales, notamment les Nations unies et leurs principales institutions spécialisées, offrent un lieu de rassemblement politique créant les conditions de cette mobilisation.

L'admission des nouveaux États aux Nations unies par décision de l'Assemblée générale et sur recommandation du Conseil de sécurité constitue une étape de leur reconnaissance internationale. Ainsi, les instances des Nations unies au moment de la décolonisation donnent une légitimité politique aux nouveaux États indépendants en les accueillant au sein de l'Assemblée générale. Le rôle de cette dernière est crucial lorsqu'elle adopte le 29 novembre 1947 la Résolution 181 décidant le partage de la Palestine, et autorise ainsi la création de l'État d'Israël. Plus tard, l'Assemblée générale a souvent adopté des résolutions affirmant cette fois « le droit inaliénable du peuple palestinien à l'autodétermination, y compris le droit d'établir son propre État indépendant ». En 1988 enfin, elle passe une résolution reconnaissant l'existence d'un État palestinien indépendant.

Les circonstances historiques qui ont présidé au développement de l'Organisation ont souvent miné l'autorité et l'influence politique de l'ONU. Pourtant, la plupart des chefs d'État ou de gouvernement ont utilisé ses instances pour propager leurs conceptions de l'ordre international, pour justifier leur politique étrangère et pour renforcer leur pouvoir intérieur. L'Assemblée générale fut notamment le lieu d'une gesticulation politique et de discours idéologiques au service des processus de légitimation. Les dirigeants des pays du tiers-monde ont plus que d'autres recouru à ses enceintes, aussi bien qu'à d'autres instances du système des Nations unies, pour donner une audience internationale à leurs revendications d'indépendance nationale, pour miner les fondements idéologiques de l'« impérialisme », pour appuyer leurs exigences d'aide économique, pour justifier leurs politiques nationales. C'est également au sein des Nations unies que les représentants des États assument leur rôle politique sur la scène internationale, en participant aux crises et conflits qui s'y déroulent, en se conformant aux rituels qui symbolisent la pérennité de l'ordre international et la légitimité de ses acteurs.

Ainsi les Nations unies et le réseau d'institutions qui leur est associé s'affirment surtout dans le champ idéologique. Elles exercent une autorité par les normes et les modèles politiques qu'elles entretiennent, par les valeurs qu'elles produisent. À ce titre, elles influencent les structures des relations internationales, marquent l'action collective des États et des groupes sociaux. Les disputes idéologiques et politiques dont les organisations du système des Nations unies sont le théâtre expriment des représentations antagonistes des régimes politiques, des frontières étatiques, de l'ordre international. C'est pourquoi les représentants des gouvernements et des Organisations non gouvernementales (ONG) se livrent en son sein à une compétition incessante pour le contrôle des principes, des normes et valeurs symboliques dont ces institutions sont dépositaires.

Le point de vue qui l'emporte peut influencer le cours des relations internationales. Les ordres du jour des organes constitutifs des institutions internationales déterminent en partie les questions qui feront l'objet de délibérations, puis les textes à portée normative qui seront adoptés par les États. Leur définition devient un enjeu politique important. Les gouvernements qui parviennent à faire prévaloir leurs priorités orientent la nature des programmes. On comprend dès lors les ressources humaines et matérielles qui sont dépensées par les gouvernements pour influencer le domaine des délibérations de l'Assemblée générale ou des organes constitutifs des principales institutions spécialisées des Nations unies, pour infléchir le sens et la portée de leurs résolutions, pour définir l'orientation des programmes de ces organisations. Les textes des résolutions des Nations unies ont souvent des consonances irréalistes mais ils finissent par produire la nébuleuse d'un ensemble de valeurs convergentes dont les acteurs de la scène internationale peuvent se servir pour légitimer leur politique. En fait, toute prise de position des Nations unies s'inscrit dans une chaîne de légitimation remontant aux principes de la Charte et aux résolutions antérieures de l'Assemblée, de l'ECOSOC ou d'un autre organe des Nations unies.

4.1. *L'évolution des positions idéologiques*

En raison de la diversité de ses membres, de l'hétérogénéité des positions qu'ils représentent, la production idéologique de l'ONU et de ses institutions spécialisées ne peut être univoque. Elle s'est beaucoup transformée depuis 1945. Ainsi l'Organisation mondiale cristallise dans la Charte les valeurs et les aspirations des Alliés, vainqueurs des forces de l'Axe. Pendant la guerre froide, elle propage ensuite les conceptions libérales qui sont celles du monde occidental. La Déclaration universelle des droits de l'homme adoptée à l'Assemblée générale des Nations unies le 10 décembre 1948, est un texte phare à cet égard. Mais si les pays occidentaux dominent les Nations unies jusqu'au début des années 1960, l'admission de nouveaux États membres fait que la majorité de l'Assemblée générale bascule vers les tendances politiques du tiers-monde, souvent appuyées par les pays socialistes. Les conceptions idéologiques de l'Organisation se modifient en conséquence. Avec la Déclaration sur l'octroi de l'indépendance aux pays et aux peuples coloniaux, l'Assemblée générale proclame en 1960 la nature fondamentalement illégitime du système colonial et soutient le combat des peuples contre l'impérialisme occidental. Elle va également dénoncer avec une force croissante la politique d'apartheid en Afrique du Sud.

4.2. La promotion du développement

Le concept polysémique de développement a constitué parallèlement, sitôt après la guerre, un répertoire de légitimation à large spectre utilisé par tous les acteurs de la scène internationale. De manière significative, les conceptions qui ont prévalu dans ce domaine demeurèrent pourtant proches des idées en vigueur dans les principaux pays industrialisés. C'est aux États-Unis, en Angleterre et subsidiairement en France que sont apparues les principales théories sur l'économie et la sociologie du développement, y compris celles contestant les perspectives dominantes. Dans leur version idéologique, elles furent invoquées comme la clef d'un savoir initiatique sur le sens de l'histoire. Toutefois, les représentants des pays pauvres, initialement ceux d'Amérique latine, ont très tôt utilisé les Nations unies pour revendiquer un partage plus équitable des ressources économiques entre les régions du monde et pour faire valoir leurs demandes d'assistance économique et technique. L'ONU, puis les institutions de Bretton Woods et le système des Nations unies dans son ensemble, ont donc joué un rôle prédominant dans la propagation des idéaux du développement économique et social, dans la conceptualisation de cette politique, dans la définition des programmes d'assistance technique et financière aux pays en voie de développement. En 1961, grâce à l'impulsion des États-Unis, l'Assemblée générale des Nations unies proclame une «décennie du développement». Depuis lors, au commencement de chaque nouvelle décennie, l'Assemblée générale lance une «stratégie du développement» ou une déclaration solennelle destinée à orienter l'action des États membres dans ce domaine. On a vu également proliférer les institutions internationales, les programmes, les fonds spéciaux des Nations unies et les organisations non gouvernementales visant à promouvoir le développement économique et social des pays pauvres.

Les Nations unies et leurs institutions spécialisées ont contribué à la définition de nouvelles valeurs dans tous les domaines sociopolitiques, notamment en engageant la lutte contre le racisme et le régime d'apartheid, en défendant le statut de la femme, en militant pour le désarmement, en soulevant la problématique de la population mondiale. Elles ont organisé à cette fin de grandes conférences internationales, proclamé des «années» consacrées à des manifestations en faveur du désarmement, de la femme, ou contre le racisme. En 1972, la conférence de Stockholm organisée par les Nations unies donne une audience considérable aux problèmes de l'environnement. Cette manifestation, les programmes mis en œuvre ultérieurement par l'Organisation, vont sensibiliser l'opinion mondiale aux menaces pesant sur l'avenir de l'humanité du fait de l'expansion planétaire de la civilisation industrielle et de la croissance démographique. En 1992, la conférence de Rio fournit une nouvelle impulsion aux efforts des institutions internationales dans ce domaine. Ses résolutions ont pour objectifs d'éclairer les opinions publiques et de faire pression sur les États pour qu'ils mettent en œuvre des politiques de protection de l'environnement.

4.3. *Le nouvel ordre économique international*

En 1974, à l'instigation des États de l'OPEP et avec l'appui d'une grande partie des gouvernements du tiers-monde, l'Assemblée générale adopte par ailleurs la *Déclaration sur l'instauration d'un nouvel ordre économique international,* puis en 1975, la *Charte des droits et devoirs économiques des États.* Ces textes expriment une contestation radicale des structures économiques et politiques de la société internationale. Sur les oppositions traditionnelles entre l'Est et l'Ouest à l'Assemblée générale, se greffent désormais les polarisations entre le Nord et le Sud. L'hétérogénéité idéologique et politique des Nations unies s'accroît ; elle se manifeste dans la prolifération de textes incantatoires, contradictoires, et finalement vides de sens. L'ONU et ses institutions spécialisées tendent à perdre l'appui politique et financier des États occidentaux. Leurs capacités d'assumer pleinement leur fonction dans la production des valeurs politiques se trouvent également réduites. Après la fin de la guerre froide et l'affaiblissement économique de nombreux pays du Sud, les États-Unis et leurs alliés parviennent à reprendre le contrôle idéologique de ces institutions. Aujourd'hui, ils dominent à nouveau l'ordre du jour de leurs négociations et l'orientation de leurs programmes.

En définitive, les positions politiques défendues par les organisations internationales sont rarement cohérentes. Constituées par des États qui sont de nature différente, qui poursuivent des objectifs hétérogènes et antagonistes, ces institutions reflètent dans leurs résolutions des principes et des valeurs composites et souvent inconciliables. Les Nations unies proclament l'universalité des droits de l'homme, tout en défendant des programmes de développement qui vont souvent à l'encontre de la réalisation de ces droits. Le FMI ou la Banque mondiale, qui reflètent les conceptions politiques des pays riches, affirment aujourd'hui leur attachement au respect des institutions démocratiques, et proclament la nécessité d'«investir dans la personne humaine» et de prendre en compte la situation des plus pauvres dans les stratégies de développement. Mais de fait, elles défendent des politiques économiques qui aggravent souvent les polarisations sociales et la misère des groupes les plus vulnérables. Ces incohérences révèlent bien les fonctions idéologiques des organisations internationales.

5. La diffusion des connaissances

Le pouvoir de ces institutions internationales ne tient pas seulement aux principes et normes politiques qu'elles produisent, aux ressources économiques qu'elles contrôlent, à celles qu'elles sont en mesure de mobiliser ou d'engager par leur influence directe ou indirecte. Il repose aussi sur la compétence qu'elles font valoir dans la propagation des informations nécessaires à l'orientation des choix politiques.

Depuis les premières années de leur existence, l'ONU et ses institutions spécialisées ont rassemblé des sommes considérables de matériaux sur l'évolution économique et sociale de l'humanité et lancé des publications périodiques sur ces différentes questions. Mentionnons à titre d'exemple, les rapports des Nations unies sur l'économie mondiale, ou les rapports annuels de l'UNICEF sur la situation des enfants dans le monde. Le PNUD publie depuis 1990 un *Rapport annuel sur le développement humain* qui combine les statistiques sur les revenus nationaux par habitant et des indicateurs sociaux tels que l'alphabétisation des adultes et l'espérance de vie. Il rompt ainsi avec les mesures incomplètes du développement véhiculées par le concept de PNB et s'efforce de diffuser par ce biais de nouveaux modèles de développement. Il n'est pas rare que les institutions du système attirent l'attention de l'opinion publique sur certaines tragédies humanitaires. Leurs fonctionnaires sont bien placés pour recueillir des informations sur la réalité sociale des différentes régions du monde. La CNUCED produit de nombreux travaux touchant aux questions économiques, et publie régulièrement un *Rapport sur le commerce et le développement*. Elle suit de près l'évolution de entreprises transnationales et les tendances de leurs stratégies. L'ONU, ses institutions spécialisées, les organes qui sont affiliés éditent environ 1 800 publications périodiques dont l'audience réelle est difficile à mesurer, mais qui ne peuvent manquer d'exercer une influence sur les opinions publiques et les responsables gouvernementaux en les sensibilisant à différents aspects de la vie internationale, et en orientant leurs choix politiques.

Les rapports du FMI et de la Banque mondiale, de l'OMC ou de l'OCDE font également autorité par la qualité de leurs données économiques et statistiques, par les indicateurs de croissance, et les modèles de développement. Ces institutions ont des équipes de chercheurs et des réseaux d'experts, dont la vision du monde est analogue, qui suivent les mêmes processus de formation, qui sont marqués par le même moule idéologique, et qui disposent d'instruments techniques dont le prestige est considérable. Ainsi, la quasi-totalité des informations, des statistiques produites sur les pays en voie de développement proviennent aujourd'hui de ces institutions. Elles orientent par ce biais la définition des stratégies de développement. Leurs outils d'analyse sont peut-être inadéquats pour comprendre certaines situations économiques et sociales. Ils s'imposent toutefois sans concurrence, parce que les pays pauvres n'ont généralement pas les moyens — en termes de chercheurs, de documentations, d'ordinateurs, de moyens de communication — de produire d'autres théories et d'autres analyses. La Banque mondiale peut ainsi s'offrir le luxe de condamner périodiquement ses stratégies de développement antérieures, sans être remise en cause par les gouvernements qui la soutiennent.

6. Mécanismes de négociations multilatérales

Les organisations internationales offrent de surcroît un cadre institutionnel pour les négociations diplomatiques multilatérales. Les principaux organes de l'ONU et des institutions spécialisées ont cette fonction. Les représentants des gouvernements y siègent régulièrement pour débattre publiquement, notamment sous le regard de la presse, des questions qui entrent dans les domaines de compétence de ces organisations.

6.1. *Lieux de rencontre politique*

Grâce à l'Assemblée générale des Nations unies, au Conseil de sécurité et à l'ECOSOC, les hommes politiques et les diplomates se retrouvent fréquemment à New York ou à Genève. Les discours qu'ils prononcent ont souvent moins d'importance que les délibérations qu'ils poursuivent en marge des réunions officielles au siège de l'Organisation ou dans les réceptions diplomatiques. Ces réunions permettent parfois de faire avancer des négociations que les canaux traditionnels de la diplomatie bilatérale peuvent entraver. Ils ont une utilité spéciale pour les pays dont les ressources en personnel diplomatique sont limitées. La plupart des États entretiennent en effet des «missions permanentes» au siège des principales organisations internationales, auprès des Nations unies à New York et à Genève, ou à Vienne, auprès de l'Unesco et de l'OCDE à Paris, auprès de l'Union européenne à Bruxelles. Leurs diplomates travaillent en étroit contact avec le secrétariat de ces organisations.

6.2. *La diplomatie multilatérale*

Le concept de «diplomatie parlementaire» a été proposé pour définir les conférences tenues dans le cadre ou sous les auspices des organisations internationales. La dynamique de ces réunions obéit à des règles de procédure strictes et dont la manipulation est un élément important de la vie internationale. Johan Kaufmann dans un ouvrage intitulé *Conference Diplomacy* (1988) utilise le terme de «diplomatie de conférence» à ce propos, afin d'intégrer à ces réunions celles qui se déroulent en marge des séances publiques. Il se tient chaque année des milliers de conférences internationales impliquant les institutions des Nations unies.

Les objectifs et les fonctions de ces conférences sont divers. Comme le rappelle Kaufmann, elles peuvent constituer un forum de délibération sur un objet précis ou porter au contraire sur une question de nature générale. Elles débouchent sur des résolutions, acceptées soit à la majorité, qualifiée ou non, soit par consensus. Ces textes sont en fait des recommandations aux gouvernements, aux organisations internationales, aux mouvements associatifs, à l'opinion mondiale. Tel est le cas des sessions annuelles de l'Assemblée générale des Nations unies, du Conseil économique et social, ou des conférences périodiques de l'Unesco, de la FAO, de l'OIT, de l'UIT, des réunions des gouverneurs de la Banque mondiale et du FMI. Ces conférences peuvent avoir pour objectif de superviser ou d'orienter le secrétariat d'une organisation. C'est le rôle des réunions périodiques des conseils ou comités exécutifs des différentes institutions du système des Nations unies. Elles peuvent également avoir pour but la négociation d'un traité ou la création d'une organisation internationale. C'est ainsi que les conférences sur le droit de la mer ont siégé en 1958, en 1960 et de 1973 à 1982 pour aboutir finalement à un traité sur cet objet. De même, l'Assemblée générale des Nations unies a mis plus de vingt ans pour rédiger et approuver les deux Pactes sur les droits de l'homme, tandis que la conférence annuelle de l'OIT a examiné et approuvé un très grand nombre de conventions internationales portant sur la protection des travailleurs. Certaines conférences internationales ont simplement pour objectif de promouvoir l'analyse d'une question spécifique, en favorisant par ce biais l'échange d'informations entre experts, diplomates et hommes politiques. Les conférences des Nations unies sur les problèmes de population, d'environnement ont eu cet objectif. L'ONU a multiplié au cours de dernière décennie les grandes conférences mondiales sur l'environnement (Rio, 1992), sur les droits de l'homme (Vienne, 1993), sur la population (Le Caire, 1994), sur les affaires sociales (Copenhague, 1995), sur les femmes (Beijing, 1995), sur la nutrition (Rome, 1992), sur l'habitat (Istanbul, 1996). Ces conférences se sont déroulées dans un climat plus serein que par le passé, en raison de la fin des antagonismes Est-Ouest et de l'acceptation quasi générale des exigences de l'économie de marché.

Les recommandations finales restent toutefois une longue liste de prescriptions incantatoires que les gouvernements n'entendent pas ou ne peuvent pas respecter, d'autant que les ressources financières de l'ONU et des agences spécialisées restent dérisoires au regard des objectifs que les diplomates et les experts proclament sous l'égide de ces institutions.

6.3. *L'OCDE*

Cette organisation mérite une attention particulière, car ses 29 États membres l'ont transformée en une «conférence économique internationale en session permanente». Tout au long de l'année, l'Organisation, établie au château de la Muette à Paris, est le siège de réunions entre des ministres, des diplomates et des experts où se discutent les politiques publiques des différents pays membres dans les domaines économiques, sociaux et culturels. L'objectif de ces délibérations est la définition d'une politique et d'une stratégie d'action visant à favoriser la croissance économique et le progrès social des États membres. Ainsi par exemple, le Comité d'examen des situations économiques et des problèmes de développement organise des «confrontations» au cours desquelles les politiques économiques des différents pays membres sont l'objet d'échanges de vues et de critiques.

L'organe suprême de l'OCDE est un Conseil, qui est composé d'un représentant de chaque pays membre avec le rang d'ambassadeur. Les sessions du Conseil ont lieu sous la présidence du secrétaire général, en principe une fois par semaine. Chaque année, le Conseil se réunit au niveau ministériel. Il fonctionne selon la règle du consensus; il peut prendre des décisions juridiquement contraignantes pour les pays membres, ou faire des recommandations. C'est le Conseil qui détermine le programme de travail des quelque 150 comités spécialisés, et qui s'occupe de domaines tels que la politique économique, l'aide au développement, les échanges, les mouvements des capitaux et transactions invisibles, les assurances, les affaires fiscales, le tourisme, les transports maritimes, les investissements internationaux et les entreprises multinationales, l'éducation, la politique scientifique et technologique, l'agriculture, les pêcheries, les produits de base, ou l'environnement. Plusieurs organes autonomes et semi-autonomes, ayant chacun son propre comité de direction, ont été créés dans le cadre de l'OCDE, tels que l'Agence internationale de l'énergie, l'Agence pour l'énergie nucléaire le Centre de développement, le Club du Sahel, le Centre pour la recherche et l'innovation dans l'enseignement. L'OCDE reflète par son fonctionnement et les services qu'elle offre le haut degré d'intégration économique et politique de ses États membres. L'OCDE est considérée comme la plus importante source de données comparatives sur les économies industrielles du monde. Elle publie chaque année des études sur l'économie de ses pays membres, des statistiques, des analyses et des recommandations sur des sujets tels que les échanges, les banques et les marchés financiers, l'emploi, les politiques sociales, l'environnement, l'agriculture, l'énergie, l'industrie, l'aide au développement, la science et la technologie, la fiscalité, l'éducation et le transport.

7. La gestion de la coopération internationale

Les organisations internationales ont enfin pour mission d'administrer la coopération internationale dans leurs domaines de compétence. À ce titre, elles gèrent un large éventail de programmes comprenant, à titre d'exemples, des activités aussi diverses que l'organisation d'un colloque d'experts, d'une conférence intergouvernementale, la préparation des documents à cet effet, la constitution de banques de données, la mise en œuvre de projets de coopération scientifique et technique, la réalisation de politiques publiques, l'administration d'un fonds d'aide et de secours humanitaire. Leur gestion peut impliquer la direction de camps de réfugiés, d'écoles ou d'hôpitaux, la conduite de campagnes de vaccination.

La cohérence et l'efficacité de ces activités de gestion varient beaucoup selon leur nature et selon le cadre politique dans lequel elles se développent. Au sein de l'Europe occidentale, les États ont développé des réseaux très denses de coopération dans les domaines scientifiques et techniques. Ils ont créé notamment diverses organisations intergouvernementales pour développer la recherche fondamentale, notamment le CERN (Organisation européenne pour la recherche nucléaire) qui se consacre depuis 1953 à la construction d'accélérateurs et de moyens de détection de particules, ou l'Agence spatiale européenne (ESA) établie en 1975.

Chapitre 9

Les institutions non gouvernementales

L'examen du rôle des institutions intergouvernementales et des entreprises multinationales a déjà permis de montrer que la politique internationale n'est plus seulement déterminée par les rapports entre gouvernements mais également par des forces transnationales échappant partiellement à leur emprise. En outre, la sphère de la politique étatique n'existe pas en dehors des relations internationales.

Avec le développement de la société internationale et son institutionnalisation croissante se sont aussi multipliés des mouvements agissant comme des «groupes de pression transnationaux», analogues à ceux qui se manifestent au niveau national. Leur prolifération tient au fait que la sphère de la politique internationale prend toujours plus d'importance, et qu'elle affecte directement la vie des individus et des sociétés nationales.

1. Les institutions religieuses

Ces mouvements à vocation transnationale sont de nature diverse. Il faut mentionner en premier lieu les Églises. En principe, leur vocation est spirituelle. Toutefois, elles ne cessent d'intervenir dans le champ du politique par les conceptions de l'histoire qu'elles proposent et par leurs prises de position éthique sur les affaires du monde. Le Vatican est reconnu comme sujet de droit international. Il peut exercer le pouvoir politique qui découle de son autorité spirituelle, soit en s'abstenant de prendre position comme ce fut le cas vis-à-vis du fascisme dans les années trente et pendant la Seconde Guerre mondiale, soit au contraire en contestant certains types de régimes, comme il l'a fait à l'encontre des gouvernements communistes de l'Est européen. Le Vatican exerce aussi une influence pas toujours positive sur les processus de développement des pays pauvres en faisant campagne contre les moyens anticonceptionnels. De son côté le Conseil œcuménique des Églises, dont le siège est à Genève, rassemble les communautés protestantes et orthodoxes ; il s'exprime régulièrement sur les grandes questions de politique internationale, notamment sur la problématique de la paix, du développement ou du désarmement.

2. Les mouvements politiques

Les partis et les syndicats épousent également les formes d'organisations transnationales. L'exemple des internationales socialistes est connu. Elles ont exercé une grande influence politique en Europe depuis la fin du XIXe siècle, en se proposant de coordonner les revendications et l'action des travailleurs contre toute forme d'exploitation capitaliste. La première fut créée en 1864, sous le nom d'Association internationale des Travailleurs. La deuxième est née en 1889. Elle s'était notamment fixé comme objectif une action internationale contre la guerre. Elle a échoué en 1914. La IIIe Internationale, née en 1919 de la séparation entre socialistes et communistes, est devenue un instrument de la politique stalinienne, jusqu'à sa dissolution en 1943. Depuis la Seconde Guerre mondiale, la plupart des partis politiques traditionnels européens ont développé des activités et des structures internationales.

Les mouvements syndicaux internationaux ont également maintenu une tradition militante à l'échelle internationale et influencent le développement des normes et les programmes de l'OIT. La Confédération internationale des Syndicats libres (CISL) revendique 70 millions d'adhérents dans 95 pays et joue à cet égard un rôle privilégié. La Confédération mondiale du Travail, d'obédience chrétienne, comprend aujourd'hui 13 millions d'adhérents répartis dans 75 pays.

3. Les ONG

Il faut ajouter à ces forces transnationales traditionnelles les innombrables ONG. Elles se comptent par milliers. Certaines ont une longue histoire. Ainsi la *British and Foreign Anti-Slavery Society* fut fondée en Grande-Bretagne en 1823 ; elle continue d'être très active et milite contre toute forme moderne d'exploitation de type esclavagiste. Au début du XXe siècle, les organisations bénévoles de secours aux populations victimes des guerres, notamment aux réfugiés, se sont multipliées, souvent dans la mouvance des institutions religieuses. Avec la création du système des Nations unies, les ONG trouvent un nouvel essor. Le développement des réseaux de communication accélère leur déploiement dans l'ensemble du monde. Les Nations unies et les institutions spécialisées du système reconnaissent un statut consultatif à celles qui agissent dans leur domaine de compétence. L'article 71 de la Charte prévoit que «Le Conseil économique et social peut prendre toutes les dispositions pour consulter les Organisations non gouvernementales qui s'occupent des questions relevant de sa compétence. Ces dispositions vont s'appliquer à des organisations internationales et, s'il y a lieu, à des organisations nationales après consultation du membre intéressé de l'organisation». Des articles similaires figurent dans les dispositions constitutives des organisations intergouvernementales spécialisées, qui réservent aux ONG différents statuts en fonction de leurs finalités et de leurs membres, modulant ainsi leur capacité d'intervenir dans les débats.

Leurs secteurs d'activités sont très divers, allant de la recherche bibliographique au sport, en passant par tous les domaines des affaires économiques, sociales et culturelles. Elles occupent un rôle éminent dans les questions des droits de l'homme, des affaires humanitaires et de l'environnement. Elles sont également très nombreuses dans le domaine de l'aide au développement.

La plupart des ONG, en particulier celles qui ont d'importantes ressources financières et administratives, sont établies dans les pays occidentaux, dans le monde anglo-saxon en particulier. Elles ne peuvent déployer leurs effets sans l'accord des gouvernements. C'est la raison pour laquelle elles sont moins nombreuses en Afrique, et qu'elles n'ont pas droit de cité en certains pays d'Asie, notamment en Chine et dans les autres pays communistes.

On peut aussi ajouter que les ONG ont contribué au cours de ces dernières années à la propagation des conceptions politiques en vigueur dans les pays du Nord. À cet égard, leur action n'est pas neutre du point de vue idéologique. Elle s'inscrit dans une tradition politique marquée par l'individualisme libéral. Elle contribue à un mouvement d'intégration social et politique reflétant les intérêts des pays à économie de marché, même si ces organisations se situent parfois en opposition avec les tendances politiques dominantes prévalant dans ces pays.

La comparaison entre ces acteurs et les partis dans la sphère politique interne n'est sans doute pas adéquate, car les objectifs des ONG ne sont pas de conquérir le pouvoir, mais bien plutôt de faire pression sur les gouvernements et les institutions internationales, afin qu'ils mettent en œuvre des stratégies de développement ou qu'ils assurent la promotion et le respect des droits de l'homme ou encore pour qu'ils favorisent la protection de l'environnement. La grande différence avec les partis tient à la nature sectorielle de leur champ d'intervention. Il s'agit donc de groupes de pression ou d'associations à buts non lucratifs telles qu'elles sont reconnues par les législations internes, mais dont le champ d'action se situe dans les relations internationales. Les orientations idéologiques des ONG sont très diverses. Certaines sont des instruments de mouvements politiques; elles ont alors des options idéologiques marquées. D'autres, au contraire, se définissent comme apolitiques.

Certaines ONG sont indépendantes des gouvernements, et développent à leur égard une action politique autonome. C'est le cas d'organisations comme Amnesty International ou Greenpeace. En revanche, le Comité international de la Croix-Rouge (CICR), qui a reçu mandat d'agir sur la scène internationale pour la protection des victimes des conflits armés et qui est dépositaire des Conventions de Genève sur le droit humanitaire, est très proche du gouvernement suisse; Médecins sans frontières, Médecins du monde, la Fédération internationale des droits de l'homme sont par tradition proches des milieux politiques français. Toutefois dans un monde où les lignes de partage entre les sphères étatiques et internationales ont tendance à se brouiller, on peut parfois assimiler à une ONG une association ancrée dans un seul pays, mais poursuivant des objectifs internationaux. Il existe en fait de nombreuses organisations agissant dans le domaine des droits de l'homme qui ont une base essentiellement nationale. Elles ont souvent des ressources matérielles très faibles. Pourtant, elles reçoivent aussi un appui international en s'intégrant dans des réseaux. Ainsi, l'Organisation mondiale contre la torture (OMCT), qui a son siège à Genève, est un réseau réunissant quelque 200 ONG luttant contre la torture.

Lorsqu'elles interviennent dans le champ de l'humanitaire, elles peuvent être amenées à déployer des effets politiques, en soutenant des mouvements de libération nationale. Ainsi, bien qu'elle ait un objectif très ciblé, une organisation comme Amnesty International intervient dans le champ de la politique. Elle a contribué en 1979 au renversement du régime de Bokassa de la République Centrafricaine, en lançant des informations accablantes sur ce régime. Dans le domaine de l'humanitaire également, le CICR évite d'adopter des positions susceptibles d'être interprétées comme de nature politique, et cette réserve lui vaut des critiques, surtout lorsqu'il est le principal témoin de tragédies, comme ce fut le cas sous le III\ Reich ou, plus récemment, dans les situations de répression ou d'occupation portant atteinte aux obligations des Conventions de Genève. Les gouvernements utilisent volontiers des ONG pour faire face aux catastrophes humanitaires ou pour la mise en œuvre de projets de développement, plutôt que de confier ces interventions à des organisations intergouvernementales dont les mécanismes manquent de souplesse et sont politiquement difficiles à contrôler. En 1976, la Communauté européenne décide d'officialiser ses liens avec les ONG, en prévoyant un budget destiné spécifiquement à financer des projets dans les domaines du développement. Par ce biais, la

Communauté s'est efforcée de financer des projets très divers, en respectant les motivations éthiques, politiques, religieuses et sociales des ONG requérantes. De nos jours, une partie importante de l'assistance au développement est canalisée par les ONG. Leur rôle à cet égard n'a cessé d'augmenter. Leurs contributions vont généralement à des petits projets dans les domaines du développement rural intégré, dans les secteurs de l'éducation, de la formation, de la santé publique. Dans les années 1990, elles sont intervenues massivement dans les grandes conférences organisées par les Nations unies. Leurs représentants étaient au nombre de 40 000 lors de la conférence mondiale sur les femmes (Beijing, 1995).

La prolifération des ONG, leur mobilisation permanente, manifestent une intégration croissante de la société internationale. Face aux pouvoirs des gouvernements, ces acteurs non étatiques expriment l'émergence d'une société civile internationale, ou même l'apparition de forces politiques transnationales qui agissent de manière indépendante des mouvements internationalistes traditionnels et dont les États sont obligés de tenir compte.

Chapitre 10

Mondialisation et intégration

1. L'expansion planétaire du régime capitaliste

La croissance des échanges commerciaux et des réseaux de communications entre les États et les sociétés ont altéré la nature des relations internationales. Ces transformations économiques et sociales ont été représentées par les termes de «mondialisation» ou de «globalisation» dans une acceptation plus économique. Ces notions n'ont pas fait l'objet d'une définition précise ; elles désignent un ensemble de phénomènes et de processus hétérogènes, parfois contradictoires, manifestant l'expansion planétaire des modes de production et de consommation capitalistes. Elles sont associées en particulier à la libéralisation des échanges, aux investissements et flux de capitaux, ainsi qu'à l'importance croissante de ces flux dans l'économie mondiale. les transformations des sphères monétaires et financières ont constitué en effet un aspect central de la mondialisation. Ces changements entraîneraient le passage d'une économie internationale, marquée par des interactions entre marchés nationaux, à une économie globalisée, dynamisée par une production internationalisée, par des places financière et monétaires en interactions constantes. Dans ce domaine également, les évolutions en matière de transmission et de traitement des informations ont diminué les coûts des opérations. La mondialisation a modifié les rapports au temps et à l'espace. Les grandes villes sont désormais branchées sur des réseaux de communication planétaires, et partout les échanges entre les espaces urbains et ruraux s'intensifient. Ces évolutions impliquent une imbrication toujours plus prononcée des espaces locaux, régionaux et internationaux. Plus que jamais, les répercussions d'événements localisés peuvent avoir des conséquences lointaines de grande ampleur, et cela dans un temps très court.

2. Nouvelles exigences de coopération

Pour assurer leur sécurité dans un âge dominé par les armes de terreur, aussi bien que pour promouvoir leur bien-être économique et social, les États sont tenus d'établir entre eux des mécanismes de coopération fonctionnelle, d'harmoniser leurs politiques monétaire, financière et commerciale, de faire converger leurs politiques publiques. La mondialisation affecte parfois la capacité des gouvernements à faire certains choix économiques et politiques. Elle les pousse à étendre leurs réseaux de coopération avec l'étranger, à soutenir des institutions internationales, à se lier par des régimes. Ces engagements internationaux leur accordent des droits et leur procurent des avantages, mais leur imposent aussi des obligations, des procédures de négociation, des mécanismes de coopération intergouvernementale, et cela dans les affaires qui relèvent souvent de la haute politique. La mondialisation a incontestablement contribué au renforcement des liens d'interdépendance entre les pays de l'OCDE. En outre, le développement des organisations internationales, les mouvements d'intégration économique et politique, la prolifération des acteurs non étatiques ont favorisé en effet une institutionnalisation croissante de la politique internationale. En fait, l'évolution des rapports internationaux entre les États développés tend à réduire le degré d'anarchie qui caractérise traditionnellement les rapports entre sociétés nationales.

Ces changements invalident en partie la pertinence du cadre conceptuel réaliste, fondé sur le postulat de l'anarchie, de la prééminence des rapports de puissance et de conflits entre États. Certes, l'incidence de la globalisation diffèrent beaucoup selon la nature des États et selon les circonstances. Ceux dont l'économie est fragile, sont naturellement plus sensibles à ses effets ; ils ont moins de capacité de participer aux processus de décision qui affectent sa gestion et qui conditionnent son orientation. La majeure partie des négociations de l'*Uruguay Round* ont mobilisé un petit nombre d'acteurs, notamment les représentants du gouvernement américain, de l'Union européenne, de quelques pays du Sud, en particulier le Brésil, l'Argentine et l'Inde. Pour participer aux délibérations de cette négociation, les États devaient être en mesure d'impliquer un très grand nombre d'experts et de diplomates pour définir et négocier leurs positions, ce que les gouvernements des pays pauvres n'étaient pas en mesure de faire.

Les structures internationales ne reflètent pas seulement les hiérarchies de puissance, elles sont également régulées par des institutions. Ces dernières marquent l'orientation politique des États en définissant des règles du jeu, en suscitant des attentes, en délimitant des objectifs, en influençant des intérêts et des préférences, en limitant le champ des orientations politiques et stratégiques concevables. À ce titre, les gouvernements sont imbriqués dans des systèmes de régulation formés par leurs régimes de coopération, et par les organisations internationales et les interactions des acteurs non étatiques.

3. La politique transnationale

Au début des années soixante-dix, certains auteurs américains ont cru pouvoir annoncer le déclin progressif du rôle de l'État sur la scène internationale. Ils ont proposé les concepts de « politique transnationale » ou d'« interdépendance complexe » pour qualifier cette évolution. Les rapports toujours plus étroits entre les économies nationales, l'importance grandissante des entreprises transnationales, des organisations intergouvernementales et des ONG, font perdre à l'État une part de sa souveraineté politique.

Sans partager cette perspective théorique qui traduit dans l'étude des relations internationales les illusions américaines sur la fin des idéologies et sur le déclin des phénomènes politiques, certains auteurs comme Susan Strange et John Stopford ont souligné que la transnationalisation de l'économie mondiale, sous l'effet de l'intégration des marchés financiers, des progrès techniques en matière de communication et de traitement de l'information, avaient altéré les objectifs traditionnels de la politique étrangère des États. Dans cette perspective, le champ des conflits internationaux n'est plus la sphère territoriale de jadis, ni celle des régimes politiques et de l'idéologie comme au temps de la guerre froide. Il porte désormais presque exclusivement sur le partage des ressources matérielles, celles qui donnent aux gouvernements les moyens d'assurer la prospérité économique et la cohésion sociale de leur État. C'est la raison pour laquelle les gouvernements doivent constamment agir de concert et négocier avec les sociétés transnationales parce qu'ils ne peuvent se passer de leurs investissements, et doivent créer les conditions favorables à leur déploiement. À ce titre, ces entreprises sont plus que jamais des acteurs à part entière de la politique internationale.

Lorsque l'on étudie ces relations transnationales, il faudrait pouvoir faire une distinction claire entre les rapports d'essence politique et ceux qui sont le fait d'initiatives individuelles ou d'entreprises poursuivant d'autres fins, par exemple de nature économique ou culturelle. Il existe en effet une société civile internationale qui, sans être insensible aux régimes étatiques et aux contraintes gouvernementales, échappe à la structuration immédiate du politique. Il existe aussi une très grande variété d'initiatives individuelles ou de mouvements jouant dans l'interface entre la société internationale et la politique des États. Toutefois les frontières du politique sont imprécises : le roman d'un Salman Rushdie est par définition une création littéraire, mais il devient un événement politique par les réactions qu'il suscite dans certains pays islamiques, par l'exploitation qui en est faite par certains chefs d'État. Les migrations touristiques constituent un phénomène social. Elles ont toutefois des incidences culturelles dans les sociétés d'accueil et suscitent parfois des réactions politiques. Tous les gouvernements sont influencés à divers titres par des mouvements, institutionnalisés ou non, qui surgissent de la société transnationale. En conséquence, la politique internationale n'est plus l'affaire des seuls États.

4. La théorie des «régimes»

4.1. *Définition des régimes*

La réflexion sur les dimensions institutionnelles et normatives des relations internationales s'est organisée dans le monde anglo-saxon autour du concept de «régime» qui a suscité une importante littérature, notamment dans le cadre de la revue *International Organization*. S. Krasner dans un ouvrage collectif intitulé *International Regimes* (1983) définit les «régimes» internationaux comme les principes, les normes, les conventions et les procédures de prise de décision, explicites ou non, régissant un domaine particulier des relations internationales. Dans la même étude, J. Ruggie les compare «au langage de l'action étatique». Selon lui, la formation et la transformation des régimes internationaux manifestent de manière concrète l'internationalisation de l'autorité politique. En adhérant à un «régime», les États acceptent de sacrifier des intérêts immédiats pour créer les conditions d'une coopération à plus long terme. Dans la perspective de ces auteurs, les principes et les normes constituent les caractéristiques propres d'un régime, alors que les conventions et les procédures de prise de décision sont des éléments subsidiaires pouvant évoluer sans altérer l'essence de ces institutions.

On peut retenir de cette littérature l'hypothèse selon laquelle les institutions internationales, les traités internationaux, ou même les mécanismes de coopération sans fondement juridique précis, entraînent des procédures de règlement des conflits qui façonnent la dynamique des relations internationales. Les régimes contribueraient au développement de pratiques sociales convergentes et habituelles. Ils définissent des règles du jeu, délimitant les comportements légitimes dans des domaines d'activités spécifiques. Ils stabilisent les échanges entre les États en réduisant leurs coûts. Ils orientent la position et les attentes des gouvernements et autres acteurs de la politique internationale. Ils favorisent la production et la circulation de l'information, permettant ainsi des choix rationnels. Ils comprennent des procédures de prise de décision qui favorisent la recherche des compromis et diminuent ainsi le coût des sacrifices des parties en négociation. En participant à ces régimes, les États confèrent en effet à leurs actions internationales une certaine régularité, réduisant la part d'incertitude et d'insécurité qui existent dans leurs rapports de coopération, et se donnent les moyens d'anticiper leurs positions respectives.

Les régimes doivent être distingués des organisations internationales. Il n'est toutefois pas rare qu'ils comprennent l'établissement d'une structure organisationnelle qui en assure la gestion et facilite les procédures de prise de décision relatives à leur mise en œuvre. Ils orientent de ce fait la politique étrangère des gouvernements, au même titre que les dispositions constitutionnelles d'un État conditionne la nature de sa vie politique.

4.2. *L'emprise des régimes*

Le régime de libéralisation des échanges, inscrits dans l'accord du GATT de 1947, est souvent donné en exemple de cette empreinte institutionnelle sur la politique internationale. Les parties contractantes se sont alors engagées à diminuer leurs droits de douane, à respecter la clause de la nation la plus favorisée, à éviter les barrières non tarifaires au commerce, à éliminer les pratiques discriminatoires, contribuant à une croissance très rapide des échanges commerciaux, affectant ainsi un domaine crucial de la politique internationale. Ce régime a été souvent mis en cause, notamment par les pays en voie de développement militant au sein de la CNUCED ; les parties contractantes n'ont pas toujours respecté scrupuleusement ses dispositions. Dans l'ensemble pourtant il a tenu bon, malgré les fortes divergences d'intérêts et de conceptions politiques qui sont apparues entre les parties contractantes du GATT, malgré les turbulences qui ont secoué l'économie mondiale depuis les années 1970. Il a évolué en conformité avec ses principes de base, comme en témoignent les succès des négociations de l'*Uruguay Round* et la création de l'Organisation mondiale du commerce (OMC). Le régime de libéralisation des échanges est donc appréhendé comme un bon exemple de l'influence qu'une institution peut exercer sur le comportement international des États et des entreprises.

4.3. *La critique*

Les théoriciens des régimes ont tendance à confondre dans cette notion des accords et des institutions qui ne sont pas compatibles par leur importance et leur signification. Un traité concernant la protection des baleines n'est pas de même nature que les accords concluant les négociations de l'*Uruguay Round* et portant création de l'OMC. Les régimes diffèrent beaucoup par leur substance, leur cohérence, leur importance politique et leur pérennité. Ils sont dès lors très disparates. Les théoriciens des régimes manquent trop souvent de perspicacité à cet égard, en ne faisant pas une distinction claire entre les régimes selon leur nature et leurs fonctions. La coopération internationale s'est beaucoup développée au cours des dernières décennies dans le domaine de la protection de l'environnement, avec la signature et la ratification de nombreux traités, ayant des objectifs très divers. Ces traités, dont la mise en œuvre est souvent aléatoire, constituent-ils tous des régimes ? Certains régimes sont très fragiles, les États étant peu attentifs aux droits et obligations qu'ils comprennent, et leurs mécanismes de surveillance s'avérant inefficaces.

Les théoriciens des régimes valorisent le développement des institutions internationales, sans toujours s'interroger sur leur finalité et les intérêts qu'elles servent. Ils ont tendance à appréhender les régimes en termes de fonctions nécessaires et utiles. Ils partent d'un présupposé pragmatique, en affirmant que les acteurs étatiques trouvent un avantage mutuel à créer des institutions pour assurer par leur coopération une amélioration de leur bien-être et la consolidation de la paix. Ils postulent le bien-fondé de l'ordre économique et social instauré par les grandes puissances, et l'intérêt des acteurs de s'y conformer ou de le faire évoluer de manière progressive. Dans cette perspective, ils font l'hypothèse que les institutions internationales contribuent de manière positive au développement de coopération entre les États, qu'elles favorisent le bien-être économique et social, la protection de l'environnement, le désarmement et les droits de l'homme. Cette perspective tend à évacuer l'analyse des critères de justice et d'équité à l'aune desquels il serait possible d'évaluer les conséquences des institutions.

La théorie des régimes traduit le renouveau d'intérêt des politologues pour les institutions internationales. C'est la raison pour laquelle les partisans de ce cadre conceptuel se définissent parfois comme des «néo-institutionnalistes». Du réalisme, ils gardent certains postulats : le droit et les organisations internationales, les principes qui les fondent, les processus de coopération qui en découlent ne sont pas intelligibles sans référence aux intérêts et aux rapports de force des grandes puissances. En cela, ils sont également d'accord avec les théoriciens de la «nouvelle économie politique».

5. La gouvernance

C'est dans ce contexte que la notion de *gouvernance* a envahi les réflexions sur la politique internationale. Elle est volontiers employée comme une espèce d'équivalent d'institutions et de pratiques favorables à la paix et au développement. Elle traduit l'idée que les gouvernements des États n'ont pas le monopole de la puissance légitime, qu'il existe d'autres institutions et acteurs contribuant au maintien de l'ordre et participant à la régulation économique et sociale. Les mécanismes de gestion et de contrôle des affaires publiques impliquent au niveau local, régional et national, un ensemble complexe de structures bureaucratiques, de pouvoirs politiques plus ou moins hiérarchisés, d'entreprises, de groupes de pression privés, de mouvements sociaux.

L'établissement et le développement de ces systèmes de régulation obéit à des logiques utilitaires et pragmatiques ; ils ne reflètent pas seulement les hiérarchies de puissance, mais des convergences d'intérêts. La *gouvernance* permet de résoudre les conflits, de faciliter la coopération. Elle diminue les problèmes résultant de l'action collective dans un monde d'acteurs qui seraient devenus interdépendants. Alors que les actions des gouvernements seraient soutenus par une autorité formelle et par des pouvoirs de police, celles relevant de la *gouvernance* surgiraient d'initiatives exprimant des buts communs. Elle permettrait la concrétisation de projets collectifs sans l'autorité formelle et la sanction concrète de gouvernements.

Cette perspective implique une conception pragmatique et technocratique des relations sociales. La politique est censée refléter la dynamique et les choix de la société civile, choix qui traduisent la logique dominante d'engagements individuels et rationnels, selon des hiérarchies de valeurs d'essence universelle. Les pesanteurs idéologiques et culturelles existent, mais s'effritent au fur et à mesure des progrès de la modernisation. La « *gouvernance* sans gouvernement » manifeste cette évolution : le rôle des États n'est certes pas obsolète, mais d'autres structures organisationnelles s'imposent à leur côté, animées par de nouveaux acteurs sociaux, pour prendre en charge les fonctions que les administrations publiques s'avèrent incapables d'assumer correctement.

Lorsque les enjeux de politique internationale sont de faible importance, quand les relations politiques sont absorbées par les activités d'échanges économiques et les réseaux de coopération sont denses et importants, la conception réaliste de la politique internationale, comme la représentation de la souveraineté étatique qui la sous-tend, deviennent peu éclairantes. L'administration des affaires courantes semble mobiliser l'espace de la vie publique. Dans ces circonstances, il paraît peu pertinent de poser la question de l'analyse diplomatico-stratégique traditionnelle, car les rapports de pouvoir et d'influence sont tellement diffus, imbriqués dans des négociations et des procédures de prise de décisions si complexes, qu'ils paraissent échapper à l'emprise d'un pouvoir politique clairement identifiable. L'étude des méandres décisionnels qui intéressent la politique des régimes et de la *gouvernance* peut dès lors prendre appui sur l'expérience de la coopération internationale qui s'est instaurée entre les pays de l'OCDE. Ces derniers ont tissé des liens d'interdépendance si forts, qu'il paraît souvent difficile de repérer leur sphère de souveraineté étatique dans la conduite d'innombrables affaires qui font l'objet de négociations et de prises de décisions bilatérales ou multilatérales. La gestion technocratique des affaires publiques donne l'impression d'absorber l'essentiel de la vie politique. Le système politique n'est plus seulement structuré par des décisions gouvernementales, mais par un ensemble dense et complexe de réseaux, de régimes de coopération fonctionnelle.

Les travaux sur la *gouvernance* ont le mérite de rappeler que les États et les organisations intergouvernementales ne sont pas les seuls supports et promoteurs de l'ordre international et des régimes de coopération. Les sociétés ont d'autres sources de solidarité ou de cohésion que l'emprise des gouvernements. Il existe effectivement des mécanismes de coopération transnationale et des réseaux d'intégration transnationale échappant au contrôle direct des gouvernements. Cependant, les travaux sur la *gouvernance* assimilent trop souvent l'espace des pays de l'OCDE avec celui de la politique internationale, ils reflètent les discours d'organisations internationales, telles la Banque mondiale et l'OCDE, qui ont pour fonction de favoriser l'expansion du marché capitaliste, en limitant les entraves aux activités des entreprises transnationales et aux flux d'investissement. Elles ont, dès lors, tendance à confondre cette logique néo libérale, et les pratiques qui en découlent, avec la dynamique d'une modernité irrépressible. Elles comprennent la politique comme la gestion des interdépendances économiques.

6. Les débats sur l'hégémonie américaine

On a vu en outre se développer récemment une littérature, dont le statut et les prétentions théoriques sont difficiles à situer, qui porte sur la naissance et la fin des empires ou qui s'interroge sur l'évolution de la société internationale après le déclin de l'hégémonie américaine. Généralement, leurs auteurs soulignent les risques d'instabilité et de conflits inhérents à cet effritement progressif de la prépondérance des États-Unis sur la scène mondiale, et aussi à l'émergence de nouveaux pôles de puissance. Ils pensent que la stabilité de la société internationale, en particulier le bon fonctionnement de l'économie libérale, exige une puissance hégémonique, capable d'assumer les responsabilités militaires et politiques nécessaires au maintien de l'ordre international. La puissance hégémonique est garante des «règles du jeu»; elle fait des sacrifices pour assurer le développement des institutions internationales.

Dans l'entre-deux-guerres, aucune puissance ne fut en mesure d'assumer un rôle hégémonique, et l'économiste Charles Kindleberger y voit l'explication de la grande dépression qui suivit le krach boursier de 1929. Après la Seconde Guerre mondiale, les États-Unis prirent le relais de la

Grande-Bretagne et mirent en place un nouveau régime libéral qui trouva son expression institutionnelle dans les systèmes de Bretton Woods. Selon Gilpin, la *Pax americana,* au même titre que la *Pax britannica,* devait s'avérer un facteur d'ordre et de stabilité internationaux. Les États-Unis, comme la Grande-Bretagne, ont créé et sanctionné les règles du libre-échange, assuré l'établissement et le développement d'un système monétaire international, garanti la sécurité des investissements. En définitive, l'expansion continue du régime libéral la croissance accélérée des sociétés transnationales depuis les années soixante, furent liées à la création d'un environnement politique et économique propice à cette évolution.

La question qui reste source de controverse est celle-ci : un régime peut-il subsister lorsqu'il perd le soutien politique d'une grande puissance ? En l'occurrence, l'ordre libéral va-t-il durer en l'absence d'un État hégémonique capable d'en assumer la responsabilité, en acceptant les sacrifices économiques et militaires nécessaires à son maintien ? Keohane affirme dans *International Institutions and State Power* (1989) que la coopération peut survivre sans hégémonie, au moins pour un temps. Les principes une fois adoptés, les institutions une fois établies finissent par exercer une influence autonome sur la dynamique des relations internationales. Dans sa perspective, les normes et les pratiques sociales ne reflètent pas de manière immédiate la configuration du rapport des forces économiques et militaires. Ainsi, malgré le déclin de l'hégémonie américaine, les négociations se sont poursuivies au sein du GATT, l'Union européenne, et dans une moindre mesure le Japon, ont accepté de maintenir le régime libéral mis en place par les États-Unis.

7. Théories de l'intégration

La dynamique de la civilisation industrielle et des marchés semble favorable au développement d'espaces politiques toujours plus larges. Le XIXe siècle fut celui des États-nations, alors que notre époque coïncide avec le renforcement des mécanismes de coopération régionale comme si les États n'avaient d'autres choix, pour répondre à la transnationalisation des marchés, à l'expansion des réseaux d'échange et de communication, que la constitution ou le développement de nouveaux espaces économiques et politiques. Cette évolution s'est manifestée avec la mise en place récente d'institutions favorisant l'intégration économique régionale, principalement dans les Amériques et en Asie. Parmi ces dernières, la plus importante est celle qui s'est instaurée en 1988 avec l'accord de libre échange entre les États-Unis et le Canada et qui s'est étendu au Mexique en 1994 avec l'entrée en vigueur de l'ALENA l'accord de libre échange nord-américain (en anglais NAFTA). L'Argentine, le Brésil, le Paraguay et l'Uruguay ont constitué le MERCOSUR (Marché commun du cône sud).

En Asie, les gouvernements ont eu beaucoup plus de peine à mettre en place des régimes de coopération régionale, en raison de l'hétérogénéité politique et culturelle de cet immense continent, en particulier des séquelles de l'impérialisme japonais et de la guerre froide. L'Association des nations du Sud-Est asiatique (ASEAN) a été créée en 1967 et regroupe six États (l'Indonésie, la Malaisie, la Thaïlande, les Philippines, Singapour et Brunei), sous l'égide des États-Unis alors engagés dans la guerre du Viêt-nam. Elle s'est progressivement engagée dans un programme de coopération économique, mais ses résultats à cet égard, comme dans le domaine politique, furent peu significatifs. En 1992, le sommet de l'ASEAN a pris la décision de créer au cours des quinze prochaines années une zone de libre échange. Elle a cherché à étendre ses rapports diplomatiques avec de nouveaux États, dont la Chine et le Japon, et s'emploie à devenir un forum de concertation politique. En 1992, l'Australie a pris l'initiative de mettre sur pied un forum de coopération économique régionale entre pays riverains du Pacifique, l'APEC (Asia Pacific Economic Cooperation) qui rassemble 18 États et qui devrait également tendre à créer une zone de libre-échange d'ici 2020; mais cette initiative n'a suscité pour l'instant aucun résultat substantiel.

Dans sa définition courante, l'intégration désigne le développement de rapports économiques et sociaux créant une interdépendance croissante entre des États; elle s'inscrit d'ordinaire dans un espace géographique spécifique. Elle implique un degré plus ou moins élevé d'institutionnalisation. Elle peut également signifier le processus par lequel les États mettent en place des mécanismes visant à renforcer leur cohésion mutuelle et leurs rapports de solidarité, en vue de partager, ou même de confondre leur souveraineté respective. Par ce processus, les acteurs politiques des différentes sociétés nationales en viennent à investir de nouvelles institutions régionales dont l'autorité et la légitimité est équivalente ou supérieure à celle des gouvernements nationaux.

7.1. *L'intégration européenne*

Le mouvement d'intégration tel qu'il s'est développé en Europe après la Seconde guerre mondiale fut un phénomène politique singulier. Il a pris dès ses origines une orientation politique marquée, impliquant l'établissement d'institutions disposant de pouvoirs supranationaux. Ses fondateurs ont mis ainsi un terme à l'enchaînement séculaire de guerres entre États européens; ils ont jeté les bases d'un vaste espace économique permettant une libre circulation des marchandises, des services, des capitaux et des personnes. Cette intégration régionale fut incontestablement la manifestation la plus saisissante des innovations institutionnelles marquant l'érosion des souverainetés étatiques et l'évolution des relations internationales contemporaines. L'Union européenne se distingue en effet de toute autre organisation internationale par l'importance de ses finalités politiques et par l'ampleur des moyens dont elle dispose pour que les décisions de ses organes, en particulier celles de la Commission et de la Cour, soient directement applicables dans les États. L'Acte unique de 1986, puis le traité sur l'Union européenne, entré en vigueur le 1er novembre 1993, ont donné au Conseil européen et au Conseil des ministres, la capacité de prendre des décisions à la majorité qualifiée en de nombreux domaines économiques, sociaux et même politiques. Les quinze États membres de l'Union ont ainsi accepté de modifier les conditions d'exercice de leur souveraineté.

7.2. *Le fonctionnalisme*

Le processus d'émergence de cette nouvelle communauté politique est l'objet privilégié des théories de l'intégration internationale et l'analyse des organisations internationales s'inscrit d'ordinaire dans ce même cadre conceptuel. Deux conceptions dominantes se dégagent à cet égard. La première porte avant tout sur l'étude des dispositions constitutionnelles favorisant les processus d'intégration. Dans cette perspective, l'organisation est perçue comme l'expression d'une volonté politique. Les compétences que les États lui attribuent, la part de leur souveraineté qu'ils lui confient, manifestent le degré de leur convergence politique. Cette théorie politico-institutionnelle valorise le modèle fédéraliste comme l'expression la plus achevée d'un processus d'intégration international. La seconde conception est marquée par le fonctionnalisme, théorie qui a exercé une forte empreinte sur certains courants de la sociologie et de l'anthropologie. Inspirée par la biologie, elle part de l'hypothèse que les organisations internationales assument des fonctions indispensables aux États. De l'analyse des besoins auxquels elles répondent se dégagent dans cette perspective leur véritable signification et leur rôle politique. David Mitrany, un politologue anglais, a éclairé l'étude des processus d'intégration internationaux en partant de cette démarche fonctionnaliste. En 1943, il publie un article intitulé «La paix et le développement fonctionnel de l'organisation internationale». Partant de l'échec de la SDN, Mitrany récuse tout modèle politique de l'intégration. Il propose en lieu et place la création d'un réseau d'organisations intergouvernementales à vocation technique, dont l'objectif serait utilitaire : la réalisation de tâches concrètes et nécessaires. Selon lui, pour assurer le maintien de la paix au terme de la Seconde Guerre mondiale, il ne sert à rien de mettre sur pied des institutions dotées de pouvoirs supranationaux, d'assurer des processus d'intégration en élaborant des projets constitutionnels ambitieux. Mieux vaut encourager les États à coopérer dans la réalisation d'objectifs spécifiques, de nature concrète, répondant à leurs besoins économiques et sociaux. Cette démarche pragmatique aurait l'avantage de créer progressivement les organes nécessaires à la poursuite des mêmes buts, et de susciter naturellement et progressivement les conditions d'une coopération politique. L'institutionnalisation politique suivrait le développement de ces activités techniques. Les États abandonneraient ainsi une part de leur souveraineté en déléguant à ces organisations les fonctions qu'ils ne pourraient plus assumer seuls. Ces réseaux de coopération fonctionnels créeraient peu à peu une dynamique d'intégration politique entre les États et, en conséquence, les institutions supranationales nécessaires à la poursuite de leur coopération. Mitrany faisait l'hypothèse qu'il était possible d'isoler de la politique une sphère d'activités économiques et sociales orientées vers un bien commun incontestable. Ainsi, par effet de spirale, par un grignotage incessant des domaines conflictuels de la politique, les sociétés tendraient vers une intégration croissante, et l'on assisterait à un transfert des systèmes d'allégeance nationaux vers une nouvelle communauté élargie.

Les idées fonctionnalistes de Mitrany allaient exercer une forte influence sur le développement du système des Nations unies. Les diplomates et les hommes politiques qui ont contribué à sa création s'imaginaient volontiers que la coopération internationale pourrait se développer à l'abri de la politique et des querelles idéologiques, et cette perspective trouva son expression institutionnelle après la guerre dans la prolifération d'organisations spécialisées ayant souvent des mandats semblables ou convergents mais faiblement coordonnées entre elles. Le Conseil économique et social des Nations unies (ECOSOC) a reçu constitutionnellement un mandat de coordination. En fait, il n'a jamais été en mesure de l'assumer, chaque institution agissant à sa guise dans la réalisation de ses objectifs.

Les idées des pères fondateurs de l'Europe communautaire furent également d'inspiration fonctionnaliste. La fameuse déclaration de Robert Schuman du 9 mai 1950 proposant de placer l'ensemble de la production franco-allemande de charbon et d'acier sous une Haute Autorité commune reflétait cette conception : «L'Europe ne se fera pas d'un coup, ni dans une construction d'ensemble : elle se fera par des réalisations concrètes créant d'abord une solidarité de fait.» La vision de Jean Monnet sur le mouvement d'intégration européenne allait dans le même sens. Il pensait que les administrateurs, les planificateurs, les industriels et les syndicalistes créeraient les conditions d'un mouvement d'intégration politique en étant confrontés à la nécessité de résoudre des problèmes communs. Dans cette perspective, il fallait avancer pas à pas, de manière pragmatique et non idéologique. Comme Jean Monnet avait prévu, il n'était pas possible de pousser la gestion internationale des secteurs clefs de certaines industries européennes, avec la création de la Communauté du charbon et de l'acier (CECA), sans créer les conditions d'une intégration impliquant l'ensemble de la vie économique des partenaires de cette organisation supranationale.

7.3. *Le néo-fonctionnalisme*

Un peu plus tard, l'approche «néo-fonctionnaliste» a renouvelé cette perspective, en approfondissant l'analyse du processus d'intégration européenne. Sans partager l'optimisme technocratique de Mitrany, E. Haas dans son ouvrage *The Uniting of Europe* (1958) et Leon Lindberg dans *The Political Dynamics of European Economic Integration* (1963) ont fait l'hypothèse que le mouvement d'intégration européenne procéderait d'une dynamique fonctionnaliste et politique. Les organes créés pour résoudre des tâches communes encourageraient cette intégration, d'autant que l'homogénéité des valeurs et des pratiques administratives au sein des sphères dirigeantes devaient progressivement conduire à l'instauration d'une nouvelle communauté politique disposant de pouvoirs supranationaux. Ils prévoyaient une dynamique ascendante : les exigences de la coopération dans un secteur d'activité économique, social ou culturel auraient un effet d'entraînement *(spill over)* en d'autres secteurs, et la création d'institutions sectorielles supranationales pour gérer cette coopération renforcerait l'ensemble du processus d'intégration politique. Lindberg accordait un rôle particulier aux élites gouvernementales. La Communauté économique européenne devenait une grande bureaucratie, avec laquelle les fonctionnaires nationaux allaient devoir collaborer de manière toujours plus étroite; ce faisant, ils prendraient l'habitude de gérer leurs affaires courantes de manière transnationale. Haas admettait toutefois la nécessité d'une impulsion politique pour accompagner ce mouvement intégrateur, donc aussi l'exigence d'institutions supranationales pour organiser la coopération fonctionnelle entre les différents secteurs des économies et des sociétés concernées.

Les néo-fonctionnalistes ont néanmoins cherché à corriger la logique utilitaire et apolitique qui se manifestait dans l'analyse des premières perspectives sur l'intégration européenne. Ils ont souligné que les domaines relativement peu politisés, impliquant l'abaissement des barrières douanières et l'harmonisation des conditions nécessaires au Marché commun étaient plus faciles à gérer que les affaires relevant de la « haute politique ». C'est une chose d'offrir des réponses techniques à certains problèmes où les conflits d'intérêts économiques et politiques sont de faible importance, mais cela en est une autre de trouver des solutions aux problèmes que posent les divergences de politiques agricoles, de définir des politiques industrielles convergentes ou des politiques sociales communes, d'harmoniser les fiscalités.

Il est incontestable que l'avis des « experts » et la volonté des milieux d'affaires ont souvent exercé une grande influence sur le mouvement d'intégration, notamment dans la construction des premières institutions européennes, et de manière plus récente dans la conceptualisation et les premières réalisations de l'Union monétaire. Cependant, le mouvement d'intégration européenne a eu, depuis le début, des aspects essentiellement politiques, mettant en cause les souverainetés étatiques. À plusieurs reprises, il fut contré par des initiatives politiques, celles du général de Gaulle dès son retour au pouvoir en 1958, celles du Premier ministre britannique, Madame

Thatcher, qui, ont donné un coup de frein à la dynamique fédéraliste qui inspirait le traité de Rome. Dans ces circonstances, les gouvernements français et anglais ont accepté que l'intégration se poursuive, mais à partir de choix politiques fondés sur la coopération entre États souverains. La dynamique technocratique, inspirée par les fonctionnaires et les dirigeants de la Commission, a été, dès lors, entravée et contredite par les divergences entre les gouvernements sur le sens de la construction européenne.

7.4. *L'interprétation d'inspiration réaliste*

Dans les années quatre-vingt, il est apparu clairement que le mouvement d'intégration, au fur et à mesure qu'il concernait des affaires relevant de la «haute politique», se heurtait à des résistances politiques croissantes. Il ne découlait pas d'évolutions fonctionnelles nécessaires, impulsées par la Commission et des élites administratives ou économiques, mais procédait de compromis laborieux élaborés entre chefs d'États et de gouvernement. L'adoption d'une monnaie unique ou la conception et la réalisation d'une politique extérieure et de la sécurité communes s'avèrent être des entreprises difficiles, puisque ces domaines agitent des conflits d'intérêts importants, des conceptions antagonistes de la politique nationale ou européenne.

Stanley Hoffmann a mis en cause la pertinence du cadre conceptuel fonctionnaliste en lui opposant une analyse d'inspiration réaliste (Robert O. Keohane et S. Hoffmann, *The New European Community*, Oxford, Westview Press, 1991). Il a défendu l'idée que l'Acte unique procédait moins d'une logique fonctionnaliste de «l'engrenage» que de pressions économiques extérieures à la Communauté. L'abandon du processus de décision consensuelle au profit de la majorité qualifiée visait à éviter le blocage de la Communauté. Le gouvernement britannique l'accepta, malgré ses réticences à l'égard de l'idée d'une intégration supranationale, parce qu'il pouvait espérer réaliser par ce biais la libre circulation des biens et des services au sein de la Communauté. Il ne s'agit donc pas d'un «engrenage» de nature fonctionnaliste, mais d'une construction politique ou institutionnelle entraînant des effets économiques. Dans cette perspective, l'Union européenne est appréhendée comme un régime intergouvernemental dont le but est la gestion de l'interdépendance économique par le biais de la coordination des politiques publiques. Les gouvernements agissent comme des acteurs rationnels, dont les orientations découlent des préférences nationales, telles qu'elles s'imposent au terme de négociations internes à chaque État. Ces derniers se plient aux contraintes des négociations intergouvernementales, aux résultats qui en découlent, au processus d'intégration qu'elles entraînent, parce qu'ils en retirent des bénéfices économiques et politiques. Il convient d'ajouter que les institutions, une fois créées, imposent des contraintes juridiques et politiques qui confortent le processus d'intégration. Le rôle de la Cour européenne de Justice a été tout à fait significatif à cet égard.

Chapitre 11

Les nouveaux défis planétaires

1. Le changement de frontières politiques

L'année 1989 a marqué un grand changement dans le cours de l'histoire contemporaine. L'effondrement du mur de Berlin, puis la destruction du rideau de fer, la réunification de l'Allemagne, la désintégration de l'Empire soviétique, ont modifié en profondeur les structures de l'Europe, et ces événements ont des répercussions dans l'ensemble de la société internationale. Ils mirent un terme à la guerre froide, un antagonisme idéologique et politique virulent qui a façonné pendant quarante ans non seulement la structure des rapports entre l'Est et l'Ouest, mais les relations entre le Nord et le Sud. L'année 1989 sera vraisemblablement inscrite dans les livres d'histoire comme une période charnière, marquant la séparation entre deux époques, comme le furent 1914-1918 et 1939-1945.

Les politologues n'ont pas prévu ces bouleversements, mais il ne faut pas leur en faire grief car ils n'ont pas pour vocation de prédire le cours de l'histoire et leurs théories sont inopérantes à cet égard. Ils ont toutefois proposé des cadres conceptuels éclairant la compréhension des relations internationales, notamment en manifestant leurs caractéristiques principales. Ils ont défini les variables à prendre en compte pour comprendre les processus et phénomènes formant la trame des rapports entre gouvernements. Ils ont mis en lumière les structures et les processus qui influencent les politiques étrangères des États.

La fin de la guerre froide a également entraîné une modification des frontières politiques de l'Europe, permettant d'envisager, puis de mettre en œuvre un processus de désarmement jusqu'alors inconcevable. Elle a entraîné l'instauration de rapports de coopération économique et politique étroits entre des pays qui s'étaient pendant plus de quarante ans voués aux gémonies. La conversion des pays satellites de l'URSS aux principes de la démocratie libérale et leur volonté de mettre en place des économies de marché sont autant d'éléments qui peuvent permettre d'espérer la création d'un vaste ensemble politique comprenant la grande majorité des pays européens, mais aussi le Canada et les États-Unis, ensemble où les risques de guerre internationale deviendraient faibles et où les conflits se régleraient par des voies diplomatiques ou judiciaires. Dans cette perspective optimiste, les changements politiques atténueraient l'hétérogénéité idéologique et politique de la scène internationale, et pourraient tendre à renforcer la cohérence et l'emprise du droit et des institutions.

En outre, si le mouvement d'intégration devait se poursuivre en Europe, on assisterait à la constitution d'une nouvelle communauté politique disposant de pouvoirs supranationaux de nature fédérale. C'est le sens du traité de l'Union politique européenne signé au sommet de Maastricht en décembre 1991. C'est également le sens du projet de monnaie unique. Les membres de la Communauté ont ainsi défini les principes et les modalités d'une politique étrangère et d'une défense communes. Ils ont pris à cette occasion des décisions qui doivent aussi renforcer la convergence de leurs politiques économique et sociale. Si rien ne vient entraver ce processus, la consolidation d'une Europe fédérale donnera une nouvelle configuration aux relations internationales.

2. Permanence de l'anarchie

Ces changements n'ont toutefois pas modifié les caractéristiques conflictuelles de la politique internationale, ni affaibli le poids des hiérarchies de puissance et des rapports d'hégémonie. Ils n'ont pas débouché sur des systèmes de régulation qui rendaient obsolètes certains apports du réalisme. Ils n'invalident pas non plus les cadres conceptuels qui ont souligné les fortes polarisations économiques et les disparités socio-culturelles inhérentes à l'expansion du régime capitaliste. En d'autres termes, ces changements n'entraînent pas la «fin de l'histoire».

L'évolution de la politique internationale sera de plus en plus marquée par des bouleversements sociaux de grande ampleur liés aux changements démographiques en cours et à la dégradation de l'environnement naturel de la planète. Cependant, les conséquences de ces phénomènes dépendront des mécanismes de régulation internationale que les États établiront pour y faire face.

3. La croissance de la population mondiale

La population de la terre s'approche des 6 milliards d'habitants. Elle a plus que doublé depuis 1950. Elle augmente chaque année d'environ 90 millions de personnes. Il a fallu trois siècles pour passer de 500 millions à 3,5 milliards de personnes, alors qu'il ne faudra que quelques décennies pour voir ce dernier chiffre doubler, la population mondiale se concentrant alors pour les quatre-cinquièmes dans les pays d'Afrique, d'Asie et d'Amérique latine. Le taux moyen d'augmentation démographique a été d'environ 2 % de 1950 à 1975 dans les pays en voie de développement. Depuis lors, toujours d'après les statistiques des Nations unies, la croissance démographique s'est ralentie. Elle serait aujourd'hui d'environ 86 millions de personnes par an, impliquant une augmentation annuelle de 1,5 %, qui devrait se maintenir jusqu'en 2025, pour diminuer de moitié vers le milieu du siècle prochain. Cette croissance démographique s'est accompagnée d'une énorme explosion de la population urbaine, le nombre des personnes vivant dans les villes ayant presque triplé depuis 1950, en raison notamment de l'exode rural. La population urbaine dans les pays en développement devrait représenter plus de 60 % de la population globale en 2025 contre 37 % en 1990. Plus de 90 % de la croissance démographique aura eu lieu dans les régions les plus pauvres, affectant des villes déjà surpeuplées. L'ONU estime que le nombre des nouveaux venus sur le marché du travail est d'environ 60 millions chaque année, contre 29 millions au milieu des années soixante. C'est dire le nombre d'emplois qu'il faudra créer chaque année pour répondre aux besoins des jeunes entrant sur le marché du travail.

Les causes de ce phénomène démographique sont multiples. Le mouvement d'expansion de la population mondiale est initialement lié au déclin de la mortalité infantile, à l'augmentation de l'espérance de vie suscitée par les progrès de l'hygiène et de la santé dans le monde. Sa continuité s'inscrit dans les conditions mêmes du sous-développement, le contrôle des naissances exigeant des populations concernées un certain niveau de vie et d'instruction, l'abandon de croyances religieuses aliénantes. C'est un cercle vicieux, car il s'avère difficile de faire reculer la pauvreté avec un taux de fécondité élevé. Les efforts déployés par les institutions des Nations unies pour améliorer la condition de la femme, notamment son niveau d'éducation et sa situation sociale, ont aussi pour objectif le contrôle des naissances.

3.1. *Les migrations*

Les phénomènes migratoires constituent une des conséquences de cette croissance démographique, liée à la pauvreté et au chômage. Le phénomène a toujours existé. Il fut particulièrement important de 1845 à 1924, période au cours de laquelle quelque 50 millions de personnes, des Européens pour la plupart, sont venus s'établir sur le continent américain. Les migrations peuvent contribuer à la croissance économique, donc au bien-être social des pays concernés, comme ce fut le cas en Europe jusque vers la fin des années soixante-dix. Depuis lors, le mouvement de migration en direction des pays occidentaux a continué, et cela dans une période où les récessions, l'automatisation de la production, les restructurations industrielles engendraient une masse croissante de personnes sans emploi ou mal rémunérées. Ces migrants sont faciles à exploiter, car souvent mal protégés par la législation économique et sociale. Le développement d'une économie clandestine, parallèle et non structurée crée aussi les conditions pour la venue de ces travailleurs. En fait, les migrations ne concernent pas seulement des personnes non qualifiées, mais des médecins, des infirmiers, des administrateurs, des enseignants dont le départ doit être comptabilisé dans l'exode des cerveaux.

Les progrès des moyens de transport et des réseaux de communication, mais aussi la disparité des richesses entre les différentes parties du monde ont beaucoup contribué à ce nouvel exode. Dans certains pays du Golfe mais aussi en Australie, aux Bahamas, au Canada, en Suisse, en France, les travailleurs immigrés représentent plus de 10 % de la population totale. Les flux migratoires ne se dirigent pas seulement vers les pays du Nord, ils sont manifestes entre pays d'Amérique latine et d'Afrique.

Les mouvements migratoires font partie des grands défis sociaux de notre temps. Le nombre des migrants était estimé à 75 millions en 1965. Trente plus tard, en 1995, l'ONU évaluait à quelque 120 millions le nombre de personnes vivant en dehors de leur pays d'origine. Les flux migratoires auraient partout augmenté. Ils paraissent désormais irrépressibles ; ils affectent la politique interne des États et les relations internationales, en bouleversant les systèmes d'intégration, en suscitant des phénomènes d'acculturation, en accroissant leur diversité ethnique. Les institutions internationales et les ONG jouent un rôle croissant dans l'analyse et la gestion de la problématique des migrations et des réfugiés, d'autant que ces mouvements sont parfois associés à des violences conflictuelles et à des tragédies humanitaires.

Aujourd'hui, comme par le passé, les phénomènes migratoires sont avant tout déterminés par les conflits politiques, par la misère et l'exploitation, par l'attente, parfois illusoire, d'une meilleure solution matérielle. Ces mouvements de population sont également influencés par l'histoire et la politique des pays d'accueil, notamment par les flux qui se sont développés au cours de la colonisation et après les indépendances. Ils sont entretenus par les réseaux de type familiaux ou communautaires. Les catastrophes naturelles, la dégradation de l'environnement, notamment l'érosion ou l'appauvrissement des sols liés au surpâturage, contribuent de manière croissante aux mouvements de population. Ainsi, au cours des dernières décennies, des millions de personnes ont été obligé de fuir leur terre, parce qu'elle était devenue inhabitable ou qu'elle ne produisait plus suffisamment de nourriture.

3.2. Les réfugiés

Autre phénomène comparable : la croissance des réfugiés, personnes fuyant les persécutions raciales, religieuses, ethniques ou politiques, les affrontements armés. En Europe, après la guerre, des millions de personnes ont fui la misère, les séquelles du nazisme et l'oppression communistes pour se rendre en Amérique, en Australie, au Canada, au Moyen-Orient ou dans des pays d'Europe occidentale. Plus de 14 millions d'Allemands, expulsés d'Europe orientale à la fin de la Seconde Guerre mondiale, ont immigré en République fédérale. Dans les années 1950, l'Allemagne occidentale accueillit quelque 3,5 millions de réfugiés. Depuis 1947, près de 40 millions de personnes auraient passé la frontière entre l'Inde et le Pakistan.

Par la suite, l'importance des mouvements de réfugiés a diminué, pour augmenter à nouveau au cours des années 1970. Le PNUD, en 1997, évaluait à 46 millions le nombre de personnes déplacées ou contraintes à l'exode, dont 26 millions étaient des individus déplacés dans leur propre pays. Le Haut Commissariat des Nations unies pour les Réfugiés (HCR) s'occupait en 1995 de 26,1 millions de réfugiés et personnes déplacées. La guerre civile au Cambodge, en Afghanistan, au Soudan, en Somalie, en Haïti, au Liberia, au Mozambique, en Yougoslavie, au Ruanda et dans les pays qui l'entourent, la répression contre les Kurdes en Irak ont provoqué d'énormes déplacements de population, avec des mouvements internationaux de réfugiés.

Les instruments internationaux ne sont plus adaptés aux nouvelles situations. Ils ne protègent pas les réfugiés dits économiques, ni ceux qui restent à l'intérieur de leurs propres frontières nationales. Il apparaît aussi que les institutions internationales, le HCR en particulier, ne sont plus en mesure d'assumer entièrement leur mandat à cet égard. Elles passent d'une situation d'urgence à l'autre. Elles sont souvent confrontées à des opérations de rapatriement, de réinsertion et de réinstallation de grande envergure coûtant fort cher. Elles sont la plupart du temps dépassées par l'ampleur du phénomène et par le refus des pays riches de financer toutes les activités engagées au titre de l'assistance. La protection des réfugiés appelle de plus en plus des programmes de développement, c'est la raison pour laquelle elle exige une coopération étroite entre les différents organismes des Nations unies, le PNUD, le FIDA, (Fonds international de développement agricole), l'OIT, le PAM, l'OMS, l'UNICEF. Dans certaines situations, le secrétaire général des Nations unies nomme un coordonnateur pour les programmes d'assistance humanitaire et économique, comme ce fut le cas pour faire face au problème des réfugiés afghans. Les ONG apportent un précieux secours à ces opérations d'assistance et de protection. L'action de ces organisations n'est malheureusement jamais préventive, et les Nations unies n'ont pas encore les moyens pour étudier et intervenir avant que ne se déclenchent les situations créant ces mouvements de réfugiés. C'est un des principaux défauts des institutions internationales existantes. Cependant, les pays de l'OCDE, l'Union européenne notamment, s'efforcent de plus en plus d'entraver le mouvement des réfugiés par leurs politiques d'assistance économique. La conditionnalité qu'elles imposent en faveur du respect des droits de l'homme et du respect des principes démocratiques, notamment dans le cadre de la dernière convention de Lomé, reflètent cette volonté d'endiguer ce type de flux migratoire.

Les réfugiés, souvent associés aux immigrants, sont désormais malvenus, suscitant des réactions xénophobes ou racistes dans les pays de l'OCDE, d'autant que la composition ethnique des populations migrantes tend à changer. Ces flux migratoires facilitent aussi l'émergence de mouvements exploitant ces sentiments, ce qui favorise le glissement vers la droite des pays en question. Le traité de l'Union européenne prévoit que les États membres définiront une politique commune en matière d'immigration et d'asile politique.

4. Les défis de l'environnement

La dégradation de la qualité de l'environnement au cours des dernières décennies a pris une ampleur dramatique, malgré des efforts entrepris par les gouvernements pour enrayer ce processus. Selon les estimations récentes du World Watch Institute, qui produit chaque année un « état du monde » portant sur ce sujet, quelque 200 millions d'hectares de forêts, des milliers de plantes et d'espèces animales auraient disparu depuis 20 ans, alors que les déserts auraient progressé sur 120 millions d'hectares. Chaque année, 17 millions d'hectares de forêt seraient détruits et 6 millions d'hectares de terre se détérioreraient au point de perdre toute capacité productive. Les informations recueillies par les satellites d'observation semblent indiquer un réchauffement de l'atmosphère terrestre. La pollution de l'air et de l'eau s'est également aggravée au cours des dix dernières années, affectant la santé des gens dans les campagnes et dans la plupart des grandes villes, dans celles des pays pauvres en particulier. Les nappes phréatiques contiennent presque partout un degré alarmant de pesticides, et chaque année des centaines de milliers de personnes sont victimes de ce phénomène. Les pluies acides font dépérir les forêts d'Amérique du Nord et de l'Europe centrale. De 1950 au milieu des années 1980, la production agricole a beaucoup augmenté grâce à l'utilisation extensive des engrais. Cette production a été multipliée par cinq de 1950 à 1981 aux États-Unis. On se rend compte aujourd'hui des effets pervers de ces méthodes de culture, car les engrais finissent par épuiser les terres et détruisent les nappes phréatiques. Or, la production agricole devrait chuter si l'on diminue l'apport des engrais, comme le montre l'exemple américain. D'après le *World Watch Institute*, de 1984 à 1990, la croissance annuelle de la production de céréales fut de 1 % par an, alors que l'augmentation de la population était de 2 % par an.

4.1. *Environnement et population*

Bien qu'ils ne constituent qu'un cinquième de la population de la planète, les pays riches produisent chaque année près de la moitié des six milliards de tonnes métriques de gaz auquel on attribue l'effet de serre. Les populations des pays du Sud n'utilisent en moyenne qu'une petite part des ressources en énergie consommées par ceux du Nord. Cette situation change rapidement, en raison notamment de la croissance économique et démographique très rapide de la Chine, de l'Inde et d'autres pays du Sud. Cependant, la pauvreté est également une grande source d'atteintes, car associée à la pression démographique, elle encourage les populations démunies à cultiver de plus en plus de terres, à détruire les forêts, ce qui contribue à l'érosion des sols et à la diminution des ressources en eau, à l'effet de serre. Les conséquences de l'exploitation des bois tropicaux sont particulièrement sévères à Madagascar, où 93 % des forêts auraient été détruites, mais aussi en Indonésie, au Nigéria et en Côte d'Ivoire. La presque totalité des forêts de l'ouest de l'Équateur a été remplacée depuis 1960 par des bananeraies. Les catastrophes écologiques, notamment les inondations provoquées par l'exploitation des forêts et l'érosion des sols, sont également plus fréquentes et plus dévastatrices dans les pays pauvres. La dégradation de l'environnement est communément associée à la croissance démographique et à l'exploitation intensive et extensive de la planète. Comment dès lors concilier la protection de l'environnement avec les exigences du développement ? Les Nations unies ont lancé le thème du «développement supportable»; pour manifester la nécessité d'intégrer les objectifs de protection de l'environnement dans les stratégies de croissance économique. Mais l'endettement des pays pauvres entrave leur capacité de faire face à ce défi. Il leur est difficile en effet d'investir dans la conservation des forêts dans la protection des sols, dans la maîtrise des techniques de contrôle de la pollution. À l'inverse, pour payer l'intérêt de leur dette, ils doivent surexploiter des ressources naturelles et les politiques d'ajustement structurel qui favorisent le libre jeu du marché les poussent également dans ce sens.

4.2. *Les enjeux politiques*

La problématique de l'environnement est éminemment politique. On le remarque au niveau national avec l'émergence de partis proposant de nouveaux choix de société, de nouvelles stratégies pour l'utilisation des ressources. Comment en serait-il autrement, puisque toute initiative en ce domaine doit nécessairement porter atteinte à des intérêts économiques, affecter des valeurs établies, modifier des hiérarchies de pouvoir? Limiter les sources de pollution exige en effet des mutations dans les politiques énergétiques, les modes de production et de consommation. La question de l'environnement pose en effet tout le problème de l'externalité des coûts de production, et cela sur une échelle jusqu'alors inconnue. Les consommateurs ne paient pas aujourd'hui le coût du recyclage de leurs déchets. On estime à des centaines de milliards de dollars aux États-Unis le prix qu'il faudrait payer pour nettoyer les innombrables dépôts abandonnés de déchets toxiques. Dans le proche avenir, des industries devront fermer leurs portes, des biens rares devront être taxés, des sources de revenus abandonnées, des intérêts corporatifs et professionnels seront affectés.

Il s'agit également d'un défi pour les relations internationales. Les pays en voie de développement n'ont généralement pas les moyens d'acquérir les techniques pour lutter contre la pollution de leurs industries. En outre, les entreprises transnationales ont tendance à établir chez eux leurs productions polluantes, ou à y déverser leurs déchets toxiques. La pollution de l'air et de l'eau, le réchauffement prévisible de l'atmosphère lié à l'effet de serre, l'augmentation du nombre et de la gravité des catastrophes écologiques, la raréfaction des sources d'énergie traditionnelles, des matières premières et des produits agricoles sont des phénomènes affectant à des degrés divers le développement et la sécurité de tous les pays du monde. S'il est un domaine qui manifeste l'interdépendance des États de la planète, c'est bien celui de l'environnement. Les pollutions ne connaissent pas de frontières. L'abattage des arbres au Népal serait responsable d'une érosion des sols et des inondations au Bengladesh et en Inde. Comme le rappellent les rapports de la Banque mondiale ou du PNUD, l'exploitation et la destruction des forêts tropicales, la désertification, la pollution de l'air ou des grandes voies maritimes du monde ont des effets planétaires. Si les États industrialisés ne prennent pas de mesures pour enrayer cette dégradation de l'environnement, les conséquences de cette inaction se feront sentir sur tous les pays bordant les mers et les océans, affectant en particulier des États comme le Bengladesh ou la Hollande.

Lorsque les gouvernements voient la nécessité de mettre en route des changements dans les modes de production et de consommation, la réalisation de ces objectifs reste un objet d'incessantes disputes. En l'occurrence, la négociation doit porter sur l'abandon réciproque d'intérêts acquis, mais les sacrifices demandés ne sont jamais équivalents. Pour prendre un exemple, imaginons les problèmes que pourrait poser au gouvernement chinois l'abandon de ses centrales thermiques utilisant du charbon dans le but de réduire les émissions de CO_2 contribuant à l'effet de serre. En d'autres termes, il ne suffit pas d'annoncer des menaces globales pesant sur l'avenir de l'humanité pour entraîner des comportements politiques rationnels à cet égard, surtout lorsque les acteurs concernés sont très divers, poursuivent des objectifs politiques non moins variés, et ont des visions idéologiques antagonistes.

Au niveau international, il n'existe donc pas de principes et de normes convergents pour la mise en œuvre d'une politique internationale de l'environnement, notamment pour lutter contre la pollution de l'air, des sols et de l'eau, pour enrayer les menaces posées par le réchauffement de l'atmosphère. En 1987, les principaux pays industrialisés ont signé le protocole de Montréal s'engageant à réduire de 50 % d'ici à 1999 l'émission de substances qui appauvrissent la couche d'ozone. L'Union européenne, ainsi que le Japon, l'Australie et le Canada ont accepté en commun des objectifs pour la stabilisation et même la réduction des gaz produisant l'effet de serre. En 1990, le G7 a accepté un cadre de négociation sur ces questions. Cependant, en admettant que les menaces pesant sur l'environnement planétaire sont celles annoncées par les experts en ce domaine, il apparaît que les mécanismes institutionnels mis en place à l'échelle internationale pour définir une politique cohérente à cet égard sont inadéquats.

4.3. *Environnement et sécurité*

Les menaces pesant sur l'environnement de la planète vont sans doute modifier les conceptions traditionnelles de la sécurité. Le désastre de Tchernobyl manifeste au grand jour la vulnérabilité des sociétés à l'âge nucléaire. Cette catastrophe a eu des effets dramatiques sur les populations vivant à proximité de cette centrale, mais les conséquences des radiations en d'autres parties de l'Europe sont encore difficiles à évaluer. En cas de guerre ou de menaces conflictuelles, les centrales atomiques ou les entrepôts de produits toxiques pourraient devenir des cibles d'attaques aériennes ou d'actions terroristes.

L'érosion des sols, le déclin dans la productivité des terres, la surexploitation des forêts, la pollution des rivières et des mers aggravent la rareté des ressources en nourriture. Ces phénomènes exacerbent déjà les antagonismes sociaux et politiques à l'intérieur des pays pauvres et encouragent les mouvements migratoires. Ils deviennent également sources de crises et d'affrontements entre États. En plusieurs régions de l'Afrique et de l'Asie, les conflits interethniques ou internationaux sont directement liés à des problèmes d'environnement. Au Moyen-Orient par exemple, le conflit bientôt séculaire entre Israël et ses voisins arabes porte notamment sur les ressources en eau. Il existe également d'importants désaccords entre la Turquie, la Syrie et l'Irak sur les cours du Tigre et de l'Euphrate. La Turquie achève de construire un vaste ensemble de barrages et de canaux d'irrigation sur l'Euphrate et ses affluents, ce qui aura pour conséquence de réduire considérablement le niveau et la qualité de l'eau disponible en Syrie. Or, ce dernier pays manque d'eau. Sa croissance démographique est l'une des plus élevées du monde, avec un taux de 3,7 % l'an. En conséquence, son gouvernement s'est employé à déstabiliser la Turquie en soutenant la guérilla kurde. Des conflits de même nature apparaissent également entre l'Égypte et le Soudan à propos du Nil ou entre l'Inde, le Népal, le Pakistan, le Bangladesh et la Chine pour les ressources fluviales de l'Himalaya.

Si le niveau de la mer venait à monter, si les ressources en eau potable et les flux d'irrigation devaient continuer de baisser, si l'étendue et la productivité des terres cultivables venaient à diminuer, les peuples seraient alors obligés de migrer sur une vaste échelle, ou de se battre pour survivre. Le concept de l'«état de nature» s'imposerait une fois encore pour traduire les traits caractéristiques de la politique internationale.

5. Vers de nouvelles institutions internationales?

Cependant, les relations internationales n'obéissent à aucun déterminisme historique, et leurs acteurs ont également le choix d'agir rationnellement et de chercher des solutions nouvelles pour écarter les menaces de catastrophes écologiques ; ils ont la liberté de renforcer leurs liens de coopération et de poursuivre l'idéal nécessaire d'un nouvel ordre international. Ainsi, les bouleversements politiques en cours en Europe, les menaces inscrites dans l'explosion démographique, la dégradation de l'environnement planétaire, les polarisations économiques et sociales entre les différentes régions du monde, les modifications de structures qu'ils entraînent, déboucheront vraisemblablement sur la réforme des organisations internationales ou sur la création d'autres institutions. Les grandes mutations historiques ont entraîné des changements institutionnels. Or, les événements qui se sont succédé depuis 1989 sont d'importance comparable à ceux qui ont donné naissance à la Sainte-Alliance après les guerres napoléoniennes, à la SDN après la Première Guerre mondiale, ou aux institutions de Bretton Woods et des

Nations unies après la Seconde Guerre mondiale. Les analogies historiques sont d'un faible secours pour expliquer la politique. En l'occurrence, les transformations en cours s'opèrent de manière relativement paisible et ne ressemblent pas aux grandes convulsions des guerres européennes et mondiales. Elles n'en appellent pas moins la mise en chantier de réformes institutionnelles.

On admet pourtant volontiers aujourd'hui que le système des Nations unies, ou du moins certains de ses organes et institutions spécialisés, ont des mandats et des structures qui ne leur permettent pas de répondre de manière adéquate aux défis du monde contemporain. Certes, les organisations intergouvernementales, peut-être encore davantage que les institutions nationales, s'avèrent difficiles à rénover. Il n'est pas rare de constater qu'elles vivent sur d'anciens mandats leur conférant des fonctions qui ont perdu une partie de leur valeur politique et de leur utilité sociale. Les secrétariats sont conservateurs, et ont peine à trouver en eux-mêmes le dynamisme et la créativité pour s'adapter au mouvement de l'histoire. Les États n'ont jusqu'ici pas réussi à s'entendre pour conférer de nouvelles priorités à l'ONU et au système des Nations unies, pour changer les structures et le mode de fonctionnement de ces institutions. Il est toutefois vraisemblable que les transformations de la politique mondiale créeront les conditions de ces évolutions, ou qu'elles favoriseront l'apparition d'autres mécanismes institutionnels.

Ainsi, le Conseil de sécurité a été créé sur le modèle d'un concert de grandes puissances pour résoudre un type de conflits interétatiques qui tend à disparaître de la scène internationale. Il s'est avéré d'un faible secours pour contribuer à la solution des guerres civiles ou des conflits régionaux qui ont marqué l'évolution des relations internationales depuis la Seconde Guerre mondiale. En outre, la mise en œuvre des sanctions militaires n'a jamais suivi les dispositions prévues par la Charte. Dans le cas de la guerre de Corée, comme dans celui du Golfe, les États-Unis ont assumé le commandement des opérations. Aujourd'hui, le maintien de la sécurité collective appelle la mobilisation d'importantes ressources économiques et militaires, et les grandes puissances, lorsqu'elles acceptent de les mobiliser, refusent d'en confier la charge à l'ONU. De toute façon, la désintégration de l'URSS, comme la montée de nouvelles puissances militaires régionales du type Japon, Inde, Brésil, ou Union européenne, impliquent une refonte du Conseil de sécurité, et sans doute aussi la multiplication des organisations de sécurité régionales.

Les fondateurs des Nations unies avaient compris l'importance qu'il y avait de créer par la coopération internationale les conditions socio-économiques favorables au maintien de la paix et de la sécurité internationales. L'évolution du monde contemporain n'a cessé de confirmer cette vision des choses. Le temps où les affaires économiques se réglaient dans le cadre des États, où les questions sociales n'affec-

taient que les politiques nationales, ce temps est révolu depuis longtemps. Aucun État si puissant soit-il, ne peut contribuer à la solution de
ces questions sans étendre ses rapports de coopération internationale.
Cependant, les grandes puissances économiques ont tenu les Nations
unies à l'écart de leurs décisions économiques, leur donnant un rôle très
marginal en matière de développement. En outre, la fragmentation du
pouvoir institutionnel entre le système des Nations unies et celui de
Bretton Woods, l'emprise des pays riches sur le fonctionnement du FMI
et de la Banque mondiale, ont certainement entravé la réalisation de cette
coopération internationale. L'émergence d'autres puissances économiques et politiques — il faut mentionner une fois encore l'Inde,
l'Indonésie, et le Brésil — la nécessité de mieux assurer la participation
des pays en voie de développement à l'instauration d'un nouvel ordre
international, demanderont également des changements institutionnels,
qui iront peut-être aussi dans le sens d'une régionalisation des mécanismes de coopération économique.

6. Éthique et relations internationales

L'ordre international est incompréhensible sans référence aux valeurs.
La notion d'ordre implique une représentation de ses éléments constitutifs. Elle suppose un jugement de valeur sur des finalités politiques telles
que la sécurité, la justice, le droit. En outre, toute activité politique est
orientée vers une fin et mobilise des moyens qui exigent une hiérarchie
de valeurs.

   Les théories inspirées par le modèle des sciences exactes ont avancé
qu'il était possible de développer des procédures d'enquêtes empiriques
évacuant les enjeux éthiques et politiques des phénomènes et processus
étudiés, excluant ainsi de son domaine des faits psychiques qui interviennent pourtant dans la constitution de leur objet. Bien que cette
tendance ne soit pas générale, on retrouve dans la pensée réaliste une
tentation positiviste affirmant la distinction entre les faits — qui seraient
objectivables — et les valeurs. Les normes ou les institutions n'auraient
ainsi de sens que par référence à la configuration du rapport de puissance
entre les États, et tout effort pour construire un ordre international à
partir de présupposés éthiques serait voué à l'échec, d'où la critique
qu'ils ont adressée à l'idéalisme d'inspiration wilsonienne. Si l'on suit
cette logique, le chef d'État n'a par conséquent d'autre choix que celui
commandé par la satisfaction des intérêts de l'État ; son action s'inscrit
de surcroît dans le cadre d'une structure contraignante, celle qu'impose
la poursuite de l'équilibre ou des rapports de force. On retrouve une
perspective analogue dans certaines analyses de type marxiste qui nient
l'autonomie du champ des valeurs. Cette conception occulte les

dilemmes moraux de l'action politique. En réalité, on sait que les décideurs agissent aussi parfois en fonction de critères normatifs ou éthiques qui ne découlent pas de la «raison d'État».

Il est donc impossible de faire l'économie d'une réflexion normative sur les relations internationales, puisqu'elles concernent la guerre et la paix, et des choix de société qui s'articulent autour des grands débats sur la liberté, la justice et l'équité. L'analyse la plus «objective» et rigoureuse est nécessairement confrontée aux problèmes des valeurs, puisqu'elle doit interpréter l'engagement des acteurs politiques. Si un gouvernement justifie son invasion d'un État voisin en affirmant que son action est de nature préventive, qu'elle répond à des considérations de sécurité nationale, il convient d'interpréter cet argument en prenant en compte les intentions et les actions de toutes les parties en cause, et ceci à la lumière des normes et pratiques politiques en vigueur au moment de cette invasion. L'explication ne doit pas seulement reconstituer les interprétations des acteurs, mais choisir celles qui semblent les plus significatives dans l'ensemble des raisonnements possibles. En fait, il faut rappeler que la structure d'un système politique ne peut pas être comprise sans référence à ses principes. L'explication de ces principes renvoie à l'analyse de leurs fondements idéologiques et normatifs.

Ainsi, comme toute question politique, l'étude des relations internationales mobilise des jugements de valeurs. Elle pose des problèmes éthiques, ceux des normes supérieures permettant d'évaluer la morale des acteurs, et les discours critiques sur cette pratique morale. Deux conceptions éthiques dominent l'étude des relations internationales : d'une part celle issue de la tradition kantienne, dite «déontologique», qui insiste sur la nécessité de suivre des principes de justice et d'équité, et d'évaluer les actions à la lumière de ces principes ; d'autre part, celle dérivée de la réflexion de Max Weber, dite «conséquentialiste», qui affirme la nécessité de juger les engagements politiques à la lumière de leurs conséquences prévisibles. Weber opère en effet la distinction entre l'éthique de la conviction et l'éthique de la responsabilité. Comme exemple de la première, il donne le pacifisme fondé sur les préceptes de l'Évangile. La seconde est celle de l'homme politique qui doit prendre en compte les conséquences de ses actes et agir en tenant compte des réalités conflictuelles de la politique. Dans cette perspective, l'homme d'État devra répondre des effets prévisibles de ses actes. Le pacifisme des années trente a par exemple contribué à l'éclatement de la Seconde Guerre mondiale. C'est du moins le jugement que l'on porte rétrospectivement sur cette période tragique. L'opposition entre ces deux conceptions éthiques recouvre en définitive les divergences entre «idéalistes» et «réalistes», ces derniers se réclamant généralement de l'éthique de la responsabilité.

Les critères pour fonder des jugements éthiques peuvent sembler difficiles à définir en raison de l'hétérogénéité idéologique et culturelle de la société internationale. La Charte des Nations unies et les principes du droit international offrent cependant des points de repère universels, même si les interprétations de ces normes peuvent susciter des divergences. Ainsi, les désaccords sur le caractère inéquitable des structures du système international portent moins sur la qualification de ce fait que sur les stratégies à mettre en œuvre pour amender les déséquilibres entre les États et les peuples.

Bibliographie

La théorie des relations internationales

ARON Raymond, *Paix et guerre entre les nations,* Paris, Calmann-Lévy, 2ᵉ éd., 1984.

BADIE Bernard et SMOUTS Marie-Claude, *Le retournement du monde. Sociologie de la scène internationale,* Paris, Dalloz, 1992.

BRAILLARD Philippe, DJALILI Mohammad-Reza, *Les Relations internationales,* Paris, PUF, «Que sais-je?» 1988.

COX Robert W. Production, *Power and World Order,* New York, Columbia University Press, 1987.

GIESEN Klaus-Gerd, *L'éthique des relations internationales. Les théories anglo-américaines contemporaines,* Bruxelles, Bruylant, 1992.

GILPIN Robert, *The Political Economy of International Relations,* Princeton, Princeton University Press, 1987.

HELLEINER Eric, *States and the Reemergence of Global Finance, from Bretton Woods to the 1990s,* London, Cornell University Press, 1994.

HOFFMANN Stanley, *Morale pour les monstres froids : pour une éthique des relations internationales,* Paris, éd. du Seuil, 1982.

HOLLIS Martin, SMITH Steve, *Explaining and Understanding International Relations,* Oxford, Clarendon Press, 1990.

KEOHANE Robert O., *Neorealism and its Critics,* New York, Columbia University Press, 1986.

KEOHANE Robert O., *International Institutions and State Power,* Londres, Westview Press, 1989.

STRANGE Susan, *The Retreat of State. The Diffusion of power in the World Economy,* Cambridge, Cambridge University Press, 1996.

WALTZ Kenneth, *Theory of international Politics,* New York, Mc Graw-Hill, 1979.

Guerre et stratégie

ARON Raymond, *Penser la guerre, Clausewitz,* 2 vol., Paris, Gallimard, 1976.

CHALIAND Gérard, *Anthologie mondiale de la stratégie : des origines au nucléaire,* Paris, R. Laffont, 1990.

HOLSTI, K. J., *War, the State, and the State of War,* 1996.

MAISONNEUVE Eric, *La violence qui vient,* Paris, Arléa, 1997.

POIRIER Lucien, *Des stratégies nucléaires,* Bruxelles, éd. Complexe, 1988.

SCHMIDT Christian, *Penser la guerre, penser l'économie,* Paris, éd. Odile Jacob, 1991.

Nation et nationalisme

BADIE Bertrand, *La fin des territoires*, Paris, Fayard, 1995.

BAYART Jean-François, *L'illusion identitaire*, Paris, Fayard, 1996.

HERMET Guy, *Histoire des nations et du nationalisme en Europe*, Paris, le Seuil, 1996.

HOBSBAWN Eric, *Nations et nationalisme depuis 1780*, Paris, Gallimard, 1992.

Économie et politique internationale

ANDREFF Wladimir, *Les Multinationales,* Paris, La Découverte, 1987.

ARNAUD Pascal, *La Dette du tiers-monde,* Paris, La Découverte, 1986.

BESSIS Sophie, *La Faim dans le monde,* Paris, La Découverte, 1991.

COMELIAU Christian, *Les Relations Nord-Sud,* Paris, La Découverte, 199l.

FAUCHEUX Sylvie, NOËL Jean-François, *Les Menaces globales sur l'environnement,* Paris, La Découverte, 1991.

L'HÉRITEAU Marie-France, *Le Fonds monétaire international et les pays du tiers-monde,* Paris, PUF, 1991.

VALLIN Jacques, *Population mondiale*, Paris, La Découverte, 1995.

Les organisations internationales

SMOUTS Marie-Claude, *Les organisations internationales*, Paris, A. Colin, Coll. Cursus, 1995.

SENARCLENS Pierre de, *La Crise des Nations unies,* Paris, PUF, 1988.

Histoire contemporaine

COLARD Daniel, *Les Relations internationales de 1945 à nos jours*, Paris, A. Colin, 6e éd., 1997.

RONCALYOLO Marcel, *Le Monde et son histoire. Le Monde contemporain de la Seconde Guerre mondiale à nos jours*, Paris, R. Laffont, 1985.

VAÏSSE Maurice, *Les Relations internationales depuis 1945*, Paris, A. Colin, Coll. Cursus, 5e éd., 1996.

Index des auteurs

Index thématique